A oração do Pai-nosso é a mais perigosa de ser feita porque, de fato, tem o potencial de destruir todos os nossos sonhos: "seja feita a tua vontade". Quando falo de sonhos, falo dos nossos mais profundos anseios de termos e sermos algo neste mundo. É dentro desse anseio que nascem a teologia *Good Vibes* e a da Xuxa (aliás, nomenclaturas geniais!). Bibo, como o grande comunicador e contador de história que é, conduz o leitor por essa jornada de transformação que ocorre quando nós somos submetidos ao senhorio de Cristo e nossa vontade é deslocada para o escanteio em face à supremacia da pessoa de Jesus. Passamos, então, a orar não para que a nossa vontade seja feita, mas para que o pleno governo do Filho se estabeleça na nossa vida e no nosso mundo. Seja bem-vindo, e prepare-se para ter a sua vida impactada!

PAULO WON, *teólogo, autor de*
E Deus falou na língua dos homens

Nos meus tempos de seminário, ouvi uma frase que não saiu da minha cabeça: "A vida pastoral é sombria". Eu me perguntava como algo tão pessimista poderia sair da boca de um professor tão esperançoso e piedoso. A resposta, segundo ele, estava nas dores e tragédias das pessoas das quais cuidamos. Em *O Deus que destrói sonhos*, Rodrigo Bibo de Aquino faz teologia assim, sem ignorar os aspectos sombrios da vida humana, olhando para o texto bíblico sem ingenuidade triunfalista, mas como quem enxerga luz, reconhecendo-se num túnel sombrio. Esperança só é possível com os pés na realidade. Esperança sem realidade é ilusão. Esperança com realidade manipulada é ilusionismo.

VICTOR FONTANA, *mestre em teologia pela*
Trinity Evangelical Divinity School

Nesta obra, meu amigo Rodrigo Bibo resgata os valores bíblicos acerca da vida cristã. Infelizmente, muito do que se diz "cristão", na verdade, é falsamente cristão e até anticristão. Este livro mostra com densidade bíblica e clareza prática — no estilo inconfundível de seu amado autor — como podemos "andar em amor, como Cristo nos amou" (Efésios 5:2) no mundo contemporâneo.

Davi Lago, *pastor batista e escritor*

Em tempos nos quais equivocadamente as pessoas tentam manipular as Escrituras e o próprio Deus em favor de si mesmas, meu amigo Bibo traz verdades inconvenientes, mas essenciais, da Palavra de Deus, mostrando que Deus não tem compromisso com nossos sonhos, mas com sua Palavra. Essa leitura vai colocar o leitor no trilho do discipulado cristão.

Lipão, *pastor presidente da igreja* Onda Dura

Esta obra é um belo convite à desilusão, um chamamento à vivência do verdadeiro evangelho em detrimento da manutenção das nossas expectativas ilusórias. Em meio a uma cultura marcada pelo individualismo, pela autonomia e pelo consumo, na qual seres humanos buscam significado e propósito, nada como sermos libertos da escravidão de conduzir a nossa própria história e nos encontrar na grande história de Deus.

Diante de um cenário evangélico brasileiro em grande parte infantilizado, no qual as Escrituras precisam retomar o seu lugar de proeminência, o autor nos convida novamente ao privilégio e à responsabilidade do discipulado de Jesus Cristo.

Diego Bitencourt, *teólogo e pastor da* Igreja Calvary Campo

RODRIGO **BIBO**

O DEUS QUE DESTRÓI SONHOS

Copyright © 2021 por Rodrigo Bibo de Aquino
Todos os direitos reservados por Vida Melhor Editora LTDA.

As citações bíblicas são da *Nova Versão Transformadora* (NVT), da Editora Mundo Cristão, a menos que seja especificada outra versão da Bíblia Sagrada.

Os pontos de vista desta obra são de responsabilidade de seus autores e colaboradores diretos, não refletindo necessariamente a posição da Thomas Nelson Brasil, da HarperCollins Christian Publishing ou de sua equipe editorial.

Publisher	*Samuel Coto*
Editor	*André Lodos Tangerino*
Produção editorial e preparação	*Daila Fanny*
Revisão	*Francine Torres* e *Luiz Malheiros*
Diagramação	*Sonia Peticov*
Ilustrações	*Guilherme Match*
Capa e Projeto gráfico	*Gabê Almeida*

Dados Internacionais de Catalogação na Publicação (CIP)
(BENITEZ CATALOGAÇÃO ASS. EDITORIAL, MS, BRASIL)

B477d
    Bibo, Rodrigo
    O Deus que destrói sonhos / Rodrigo Bibo. — 1.ed. — Rio de Janeiro : Thomas Nelson Brasil, 2021.
    160 p.; 12 x 18 cm.

    ISBN 978-65-56891-85-9

1. Espiritualidade. 2. Vida cristã. 3. Missão divina. 4. Teologia. I. Título.

02-2021/25   CDD: 230

Índice para catálogo sistemático:
1. Teologia : Missão divina 230

Bibliotecária responsável: Aline Graziele Benitez CRB-1/3129

Thomas Nelson Brasil é uma marca licenciada à Vida Melhor Editora LTDA.
Todos os direitos reservados à Vida Melhor Editora LTDA.
Rua da Quitanda, 86, sala 601A — Centro
Rio de Janeiro — RJ — CEP 20091-005
Tel.: (21) 3175-1030
www.thomasnelson.com.br

Para minha filha, Milena, e meu filho, Kalel. Que vocês sempre sejam discípulos de Jesus Cristo.

AGRADECIMENTOS
11

PREFÁCIO
15

INTRODUÇÃO
23

01 A FÁBRICA DE SONHOS (OU A TEOLOGIA DA XUXA)
31

02 CRUCIFICANDO OS SONHOS
43

03 OS SONHOS DE UM DISCÍPULO
61

04 ABRINDO MÃO DOS SEUS SONHOS PARA VIVER A VONTADE DE DEUS
83

05 SENHOR, QUAL A SUA VONTADE PARA MINHA VIDA?
101

06 A ORAÇÃO QUE DESTRÓI SONHOS
117

CONSIDERAÇÕES FINAIS
141

REFERÊNCIAS BIBLIOGRÁFICAS
155

AGRADECIMENTOS

Deus usou muitas pessoas ao longo do processo de escrita, de modo que eu realmente não consigo listar todas elas aqui sem me esquecer de alguém. No momento que escrevo essas linhas, até me vêm alguns nomes à cabeça, mas outros me escapam.

Sou grato a Deus pela estrada que ele tem colocado diante de mim. As alegrias e os desafios têm me forjado a cada dia.

Sou grato pela família que tenho. Obrigado Xanda por me amar e me ensinar a ser um discípulo melhor.

Sou grato pelos meus amigos e amigas, alguns, inclusive, sabem dos meus defeitos e, mesmo assim, ainda caminham comigo.

Sou grato pelos meus parceiros e parceiras no Bibotalk, tanto à equipe como aos mantenedores. Sem vocês eu não viveria plenamente o meu sonho. Por falar em equipe Bibotalk, gratidão total pelo carinho que o nosso vitrinista Guilherme Match e a Gabê dedicaram à capa do livro.

Sou grato pelo André e o Samuel da Thomas Nelson Brasil, que acreditam e investem forte no conteúdo que o Bibotalk produz. Agradeço também a todos os colaboradores da editora que fazem de tudo para que o Brasil tenha acesso à teologia de qualidade.

Sou grato a você que comprou este livro.

Obrigado a todos!*

RODRIGO BIBO DE AQUINO,
Verão de 2021

---

*Também preciso agradecer ao pastor Tim Keller, mesmo sabendo que ele nunca saberá deste agradecimento. Mas eu o cito tanto neste livro que sou muito grato por tudo que ele já produziu para a igreja de Cristo.

PREFÁCIO

RODRIGO BIBO chegou à cena cristã brasileira na hora certa, para fazer algo muito necessário no contexto em que vivemos. Com seu talento dialógico, conseguiu produzir (e segue produzindo) uma abundante e rica quantidade de materiais em áudio, por meio de seus podcasts, que tem contribuído muito para a discussão saudável sobre diversos temas relacionados à fé cristã. Desse modo, ele ocupou um espaço importantíssimo na era da disrupção digital, levando informação e reflexão às mentes que tentam compreender desde questões milenares até mudanças que ocorrem à velocidade da luz em meio à sociedade evangélica de nosso país. Agora, Bibo dá um passo além e oferta seu talento reflexivo e comunicativo para o universo literário.

Uma das coisas que Bibo procura fazer muito bem em seus podcasts é apresentar uma imagem realista de Deus, não idealizada, bíblica e despida de modismos e máscaras temporais. Usando seu jeito sorridente e brincalhão, ele conduz os diálogos com maestria para o resgate de conceitos basilares sobre o Criador. Chega a ser divertido e inspirador ver como Bibo discorda sem confrontar, conduz sem atritar e questiona sem desqualificar. No fim de cada debate, todos acabam abraçados, mas o recado foi dado. Neste livro, ele segue a mesma linha.

A obra que você tem em mãos propõe uma reflexão importante sobre as motivações de nosso relacionamento com Deus. Nós o buscamos para que ele realize nossos sonhos ou por que a vida (temporal e eterna) sem ele seria um agoniante tombo no nada? E, se o buscamos, fazemos isso apesar de toda e qualquer dificuldade ou, quando a coisa aperta, nós nos lançamos a questionamentos e promovemos rusgas birrentas com o Criador? Afinal, será que estamos dispostos a permanecer aos pés da cruz na alegria e na tristeza, faça sol ou chuva, ou estabelecemos por base de aliança o recebimento de bênçãos e a realização de sonhos hedonistas, que só alimentam nossos desejos?

A pergunta central desta obra é: estamos dispostos a seguir Cristo mesmo quando ele, para o cumprimento de seus misteriosos e incompreensíveis propósitos eternos, implode nossos planos, estilhaça nossos sonhos, vira ao avesso nossas ambições e nos diz que "não, pois minha graça lhe é suficiente"? Em dias como os atuais, muitos enxergam o Criador de todas as coisas como um incansável concessor de mimos. Para eles, um

PREFÁCIO

deus que se nega a atender os caprichos de seus filhos não merece ser adorado. O problema é que essa é uma postura idolátrica, pois cria um deus que não é o Deus das Escrituras e incentiva um relacionamento que nada tem a ver com o que o Eterno deseja promover.

O autor lança o desafio: "A reflexão central deste livro é apontar para a necessidade de reconhecer o senhorio de Cristo em nossa vida. Entender que somos escravos submetidos a uma missão. E essa missão afeta tudo o que somos e fazemos". Para boa parte dos cristãos brasileiros, essa afirmação é uma ofensa, pois nos obriga a descer de nossa prepotência e nos põe no devido lugar: filhos, mas escravos; temos privilégios, mas eles não nos livram das aflições; sonhamos com nossos desejos, mas o concessor das boas dádivas frequentemente frustra nossas expectativas. Não há como fugir dessa realidade, e este livro não deixa dúvida sobre isso.

Convido você a desfrutar da leitura das próximas páginas com um coração humilde e resignado por saber que os pensamentos de Deus são muito mais elevados que os nossos, que os planos divinos não podem ser frustrados e que a vontade do Eterno é perfeita. Se baixarmos as armas e nos abrirmos para a real manifestação do Criador em nossa vida, caminharemos pelos dias com um coração muito mais capaz de resistir às decepções, sabendo que, na escassez ou na fartura, Deus segue sendo Deus, bondoso, maravilhoso, digno de louvor, serviço, honra, glória e majestade.

Este livro lança o desafio: seus sonhos não se realizaram? Ótimo. Confie no Onipotente, pois ele sabe o que faz. Ele vê o que você não vê. E ele decide o que fazer sem atentar para nosso coitadismo. Ou, na melhor linguagem "bibotalkiana", muitas vezes Deus destrói nossos sonhos simplesmente porque os nossos sonhos podem ser uma bela droga.

Boa leitura!

MAURÍCIO ZÁGARI
Editor e escritor

INTRODUÇÃO

QUEM É O SEU DEUS?

IMPORTANTE COMEÇAR o livro pensando na resposta a essa pergunta. Aqui perto do meu escritório havia um grafite com a frase "Desfrute da companhia de Jesus e Ele lhe dará os desejos do seu coração". Ao lado da frase, o grafite mostrava Jesus saindo feliz de uma lâmpada como um gênio, pronto para atender desejos. Parece inocente e bonitinho, mas isso carrega uma compreensão muito equivocada de Deus. Muitos enxergam Deus dessa forma, e pensam assim porque são ensinados desse jeito.

Por um tempo, fiquei acompanhando cantores e pregadores em suas redes sociais. Ouvi suas músicas, escutei suas pregações, até folheei algumas páginas e tive algumas boas surpresas e muitas confirmações. As surpresas foram por conta das muitas vezes que fui realmente edificado e tocado. As confirmações, por sua vez, ficam por conta da alta carga emocional e de autoajuda contida nesse meio. Aliás, já deixa eu avisar: este livro não é sobre os seus planos destruídos e como a mão de Deus irá livrá-lo do vale. Este livro é sobre a vontade de Deus e como ele pode destruir os seus sonhos!

Nas minhas andanças pelo Brasil, ouvi muita coisa focada naquilo que passei a chamar de teologia *Good Vibes*:[1] o ser humano e suas necessidades colocados no centro dessas letras e mensagens, e Deus — inconscientemente, creio eu — reduzido a serviçal, gênio da lâmpada, psicólogo, coach etc. Querem um deus que abençoe, que atenda às orações e os faça mais do que vencedores. Geralmente, é esta a imagem que as pessoas constroem de Deus: o abençoador.

Mas, pera aí, pensar em Deus como abençoador é errado? Depende! Explico: é fato que a Bíblia possui inúmeros versículos que, se lidos isoladamente, parecem dar uma fórmula certeira para o sucesso e a bênção. Cito alguns:

> *Busque no SENHOR a sua alegria, e ele lhe dará os desejos de seu coração (Salmos 37:4).*

> *Peçam, e receberão. Procurem, e encontrarão. Batam, e a porta lhes será aberta. Pois todos que pedem, recebem. Todos que procuram, encontram. E, para todos que batem, a porta é aberta (Mateus 7:7-8).*

---

[1] Que transmite bons pensamentos, boas sensações.

QUEM É O SEU DEUS?

Sem fé é impossível agradar a Deus. Quem deseja se aproximar de Deus deve crer que ele existe e que recompensa aqueles que o buscam (Hebreus 11:6).

Lidos assim, sem considerar o todo da Escritura e seus devidos contextos, eles transmitem essa ideia do *toma-lá-dá-cá*. E é com base nesses e em outros textos que muitos têm construído o cristianismo centrado nos sonhos do indivíduo e em uma vontade de Deus imaginária. A teologia *Good Vibes* nos leva a crer que nossas necessidades são mais importantes do que a missão de Deus e que, na verdade, ele não nos fez para sofrer, mas para que sejamos vitoriosos e prósperos. Quem não quer um deus assim, sempre pronto para atender às minhas demandas? Eu quero dois, por gentileza...

O avanço dessa teologia não é culpa somente de pregadores e cantores, é de todo o povo que consome esse conteúdo sem critérios. Um povo que, no fundo, só quer Deus por aquilo que ele pode dar. Antes, eu até tinha pena das pessoas que lotam os templos nos quais se prega a teologia da prosperidade,[2] porém, hoje,

---

[2] A teologia da prosperidade é aquela corrente de pregação e ensino que foca na bênção, na cura e na prosperidade. Nessas igrejas, troca-se dinheiro por "vitória". Já ouviu falar de denominações que dizem que se você comprar determinada coisa — uma rosa ungida, um pote de água do Jordão etc. — vai receber

confesso que a dó passou um pouco, pois a motivação que leva essa gente para lá é a de receber uma bênção, e não a de se relacionar com o abençoador. É claro que muitos cristãos podem se aproximar de Deus por interesse e, depois, se renderem ao discipulado, como já ouvi algumas histórias. Contudo, pelo fluxo e pela rotatividade que marcam essas denominações, isso não é um padrão.

No fundo, parece que todo mundo está pensando em si mesmo e querendo se dar bem aqui, nesta peregrinação. E, para isso, construímos um *deus à nossa imagem e semelhança*, um deus que tem os mesmos anseios e as mesmas motivações que nós. Nossas orações e canções apenas refletem nossas vontades e projetam uma divindade que satisfaz os desejos mimados do nosso coração. Esquecemos que, na oração do Pai-nosso, Jesus nos ensina a primeiro ansiar pelas coisas do alto e, só depois, considerar nossas necessidades. Esquecemos que somos servos dele e estamos debaixo de sua vontade. Por isso, pensar em Deus somente como abençoador é complicado, limitado, pois Deus é muito mais que abençoador. Ele é Senhor e Rei.

---

muito mais de Deus? Então, isso exemplifica um pouco essa corrente teológica. Se quiser mais informações, ouça a entrevista com o Paulo Romeiro no BTCast 241, disponível em bibotalk.com, Spotify, Deezer, Apple e outros apps de podcast.

Se o mundo nos convida a sonhar, a ter ambições, a pensar alto, a mirar longe e por aí vai, no evangelho, por outro lado, somos convidados a negar nossa vida e carregar a cruz. Isso é cruel aos olhos deste mundo. Esperneamos como crianças birrentas quando não temos nossas vontades atendidas. Mas, o pai que ama vai disciplinar seu filho, mesmo que isso faça com que o pai pareça cruel no momento. Deus, como pai amoroso, age da mesma forma (Hebreus 12), e quem se submete à sua disciplina, isto é, torna-se seu discípulo, tem seus sonhos e ambições transformados. Às vezes, destruídos mesmo. E devemos louvá-lo por isso, pois uma vida só encontra sentido na realização de um "sonho" se este contempla a glória de Deus.

CAPÍTULO 1

A FÁBRICA DE SONHOS (OU A TEOLOGIA DA XUXA)

QUANDO CRIANÇA, cinema para mim se resumia em Xuxa e Os Trapalhões. No final de *Lua de Cristal*, a rainha dos baixinhos canta a música tema do filme. Numa parte, ela diz: "Tudo o que eu quiser, o cara lá de cima vai me dar". Eu sei que citar a música da Xuxa não é a melhor maneira de começar um argumento, mas é que, na minha compreensão, muitos cristãos pensam assim: Se eu tiver fé, boas intenções, não fizer o mal para ninguém, posso receber muitas bênçãos de Deus. Sonhar é permitido, almejar lugares mais altos é possível, eu posso ser o que eu quiser (essa frase final é o slogan da Barbie. Coisas que só pais de menina vão saber).[1]

Uma coisa é fato: nosso coração é uma fábrica de sonhos. É da natureza humana fazer planos, afirma

---

[1] Alguns filmes evangélicos também seguem a teologia da Xuxa. Tem um famoso chamado *Desafiando gigantes*, de 2006, no qual absolutamente tudo dá certo. Tudo! Os problemas apresentados no início são solucionados completamente no final. Até um rato morto é achado. É demais, não? Não sei na sua vida, mas na minha nem sempre dá tudo certo. Penso que esse tipo de mensagem vende mais utopia do que evangelho. Mas, vamos voltar ao assunto, talvez o protagonista do filme fosse mais crente que eu e, por isso, tão abençoado...

Provérbios 16:1. Criados à imagem e semelhança do Criador, incumbidos de várias tarefas no jardim, criar e agir são características inatas a nós. Porém, um acontecimento no passado criou um distúrbio na força,[2] quer dizer, nessas características humanas: Gênesis 3! O pecado de Adão e Eva afetou todos os que vieram depois deles. De lá para cá, nossos desejos, incluindo os mais nobres, são permeados pelo pecado. O desejo do primeiro casal em querer ser como Deus jogou toda a humanidade numa espiral de decadência. Nas palavras de Horton:

> *Nossa paixão pela vida e pela realização e nosso desejo de lutar por um alvo ousado foram essencialmente criados em nós por Deus. O que mudou depois da queda é a direção desse impulso. Quando desligado de seu objetivo certo — a glória de Deus e o bem de nosso próximo — nosso amor fica focado em si mesmo; nossas paixões santas ficam viciadas, nos afastando dos passos de Deus e afastando-nos um dos outros.*[3]

---

[2] Fãs de *Star Wars* entenderão a referência.
[3] HORTON, Michael. *Simplesmente crente:* por uma vida cristã comum. São Paulo: Fiel, 2016, p. 132.

Logo, o ser humano não usa mais sua vontade para viver em harmonia com Deus e o próximo. Ele a usa para satisfazer seus anseios. Ao sondar os nossos sonhos, percebemos que eles, geralmente, só contemplam a nossa vida. Nosso senso de comunidade e responsabilidade mútua é abafado por nossos caprichos e necessidades. Vivemos mais ou menos a seguinte dinâmica: sigo levando a minha vida, lutando por um lugar ao sol, para ser alguém e chegar ao topo, e vou pedindo a bênção de Deus. Ou, como dizem: fé em Deus e pé na tábua. No fundo, o que queremos é um abençoador — e que não seja intrometido. Queremos servir a Deus do nosso jeito e com os nossos termos. Isso lembra muito o conceito do "deísmo moralista terapêutico", desenvolvido pelo sociólogo Christian Smith para indicar a compreensão que os jovens norte-americanos têm sobre Deus e o conjunto de crenças que nutrem. Keller resume a tese de Smith:

> Deus abençoa e leva para o céu aqueles que tentam viver bem e decentemente (a "crença moralista"). O objetivo central da vida não é se sacrificar, ou negar a si mesmo, mas ser feliz e se sentir bem e consigo mesmo (a "crença terapêutica"). Embora exista e tenha criado o mundo, Deus não precisa

> *estar particularmente envolvido em nossa*
> *vida, exceto quando há um problema*
> *(isso é "deísmo").*[4]

Essa crença que Smith detectou nos jovens norte-americanos não difere praticamente em nada do que vivemos aqui no Brasil. É nítido que a maioria dos cristãos vive um cristianismo personalizado, voltado para satisfazer as suas demandas e vontades, sem a mínima noção do conteúdo da fé bíblica e da real vontade de Deus. O que queremos é nos dar bem nesta e na outra vida.

Veja, não quero dizer que não devemos planejar a nossa vida. Que todos agora precisam ser voluntários em causas humanitárias ou missionários itinerantes mundo afora. Calma! A reflexão central deste livro é apontar para a necessidade de reconhecer o senhorio de Cristo em nossa vida. Entender que somos escravos submetidos a uma missão que afeta tudo o que somos e fazemos. Se não considerarmos essas coisas em nossa caminhada, poderemos ter os sonhos mais nobres, como

---

[4]KELLER, Timothy. *Deuses falsos:* desmascarando as promessas vazias do sexo, do poder e do dinheiro. Rio de Janeiro: Thomas Nelson Brasil, 2016a, p. 108-109. Michael Horton resumiu dessa forma: 1. Deus criou o mundo. 2. Deus quer que sejamos bons, educados e justos uns com os outros, como todas as religiões ensinam. 3. O objetivo central da vida é estar em paz consigo mesmo. 4. Deus não precisa estar envolvido com ninguém, exceto quando a situação for muito aflitiva. 5. Todas as pessoas boas vão para o céu.

A FÁBRICA DE SONHOS (OU A TEOLOGIA DA XUXA)

ser pediatra e trabalhar nos postos de saúde de regiões carentes, mas eles talvez não glorifiquem Deus. Como bem frisou Yago Martins: "Infelizmente, nós frequentemente temos a sensação de que, se estivermos fazendo algo bom, então nossas motivações estão acima de qualquer questionamento. Muito pelo contrário! Não há melhor lugar para esconder nossas más motivações do que no serviço ao próximo".[5]

Aquele que sonda o nosso coração (Provérbios 16:2) conhece nossas motivações. E — acredite — se não nos dobrarmos ao Senhor, seremos conduzidos pela ambição, e nossas

A REFLEXÃO CENTRAL DESTE LIVRO É APONTAR PARA A NECESSIDADE DE RECONHECER O SENHORIO DE CRISTO EM NOSSA VIDA. ENTENDER QUE SOMOS ESCRAVOS SUBMETIDOS A UMA MISSÃO QUE AFETA TUDO O QUE SOMOS E FAZEMOS.

motivações serão más mesmo que, à primeira vista, pareçam boas. Quantas igrejas surgem como fruto

---

[5]MARTINS, Yago. *Você não precisa de um chamado missionário*. Joinville: BTBooks, 2015, p. 26.

dessa ambição caída? Infelizmente, muitas. Eu testemunhei uma história que ilustra mais ou menos isso. Certo jovem, desde que começou a estudar teologia, tinha um pensamento de grandeza em relação à igreja. Era tão evidente que, em sua apresentação na sala de aula, disse: "Meu objetivo é ser pastor presidente". Tempos depois, ele abriu uma pequena igreja da qual se tornou o "presidente". Os cultos eram cheios, sempre girando em torno das suas ministrações de louvor e "pregações". Contudo, ao mesmo tempo, ele também cresceu no ramo de palestras motivacionais. Isso, entre outras coisas, o levou a sair da igreja para viver exclusivamente no mundo corporativo. Penso que a trajetória dele ilustra bem o que estou querendo dizer.

A ambição não é bem vista pela Bíblia. Ela é o oposto de um coração sábio e é de procedência mundana e demoníaca, segundo Tiago 3:13-18. O termo grego *eritheia*, traduzido pela NVT como "ambição egoísta", pode também significar "partidarismo", "rivalidade" ou "ambição", e nunca é usado de forma positiva no Novo Testamento. Dessa forma, falar de "ambição egoísta" acaba sendo redundante. Segundo Horton, o adjetivo "egoísta" foi acrescentado devido ao espírito da nossa época, que vê na ambição uma virtude.[6] Mas ela não é.

---

[6]HORTON, 2016, p. 135-136.

É a ambição que faz seus sonhos terem primazia. Ela sempre vai buscar a autorrealização. Inclusive, no latim, ela tem o sentido de "sair para fazer campanha eleitoral, buscar fama ou aprovação". Isso é coisa de ego que está bem vivo e não foi crucificado com Cristo.

Nunca me esqueço de uma entrevista em que um cantor gospel disse que aconselhava seu filho a não ser baterista, pois, dessa forma, ficaria lá atrás tocando e não seria "um cara de frente",[7] pra usar as palavras dele. Imagina a frustração do garoto, que tem como primeiro instrumento a bateria, mas que, se seguir a ambição do pai, poderá se tornar um cantor gospel *linha de frente* com as motivações erradas.

Geralmente, somos convidados a ser como Moisés, Davi, Paulo ou outra grande personagem da Bíblia. Temos que mirar alto. Ninguém quer ser o Zé da esquina. Mas, se Deus nos chamar para ser o Zé da esquina, isso é sinal de fracasso? Você lembra o nome da pessoa que fez a comida no último retiro do qual você participou? Pois é, ela foi tão importante quanto quem deu as palestras ou organizou o evento. Será que o ministério de Paulo teria o mesmo sucesso sem as pessoas citadas em Romanos 16? Você

---

[7]ENTREVISTA. Ritmo Brasil. São Paulo: Rede TV, 21 de julho de 2013. Programa de TV. Disponível em: <youtu.be/j74hEJK0cOY>. Acesso em: 23 jan. 2017.

provavelmente deve estar tentando lembrar quem é citado lá, não é verdade?

(Pare aqui e leia Romanos 16.)

Percebe o problema desses discursos motivacionais travestidos de pregação? Eles querem nos fazer buscar a glória dos homens, buscar sermos reconhecidos por aqueles que nos cercam. Quem nunca ouviu o jargão "Deus vai te tirar do anonimatoooo". Aí, eu pergunto: Qual o problema do anonimato? Aqueles irmãos e irmãs relacionados por Paulo em Romanos 16 (que você, aliás, leu) eram menos importantes que o apóstolo na obra de Deus? O que dizer dos heróis da fé de Hebreus 11 que nem tiveram seus nomes citados? Precisamos dissipar essa confusão no meio cristão. O alerta de Dave Harvey é sério: "Em nossa superestimada perseguição de glória própria, colocamo-nos no caminho da ira de Deus".[8]

Por isso, estou cada vez mais convencido de que precisamos declarar a falência dos nossos sonhos, planos e projetos permeados pela cultura do *self* (meu eu). Vou detalhar isso no decorrer dos próximos capítulos.

---

[8]HARVEY, Dave. *Resgatando a ambição*. São Paulo: Fiel, 2011, p. 63.

CAPÍTULO 2

CRUCIFICANDO OS SONHOS

EM *HOMEM-ARANHA 2,* de 2004 (o melhor filme de super-herói já feito),[1] Tia May fala para Peter umas verdades sobre heroísmo. Devido a crises de identidade, ele estava perdendo seus poderes e voltando a viver uma vida normal. Ela diz:

> *Eu acredito que existe um herói em todos nós que nos mantém honestos, que nos dá forças, nos enobrece e nos permite morrer com orgulho ainda que, às vezes, tenhamos que ser firmes e desistir daquilo que mais queremos, até de nossos sonhos.*

Se tem uma coisa que heróis nos ensinam, sejam os da ficção, sejam os da vida real, é a abnegação em prol do próximo. Como não lembrar do clássico conselho

---

[1] Eu também curti muito o segundo filme do morcego dirigido pelo Nolan, mas, como ele é mais sobre o vilão, e superdramático, meio que o retiro da categoria. Apesar de gostar muito de *Os Vingadores*, esse do Sam Raimi é muito redondo e até hoje continua bom, mais de quinze anos depois.

do Tio Ben? No primeiro *Homem-Aranha*, lançado lá em 2002, ele fala: "Com grandes poderes, vêm grandes responsabilidades". Isso é muito sério e me lembra da Bíblia, quando ela diz que recebemos poder do alto para testemunhar (Atos 1:8) e que se sabemos fazer o bem e não o fazemos, cometemos pecado (Tiago 4:17).[2] Não recebemos o poder de Deus para benefício próprio. Recebemos para testemunhar, e cristão testemunha com a palavra e com a vida.

E já que estamos no embalo de exemplos da cultura pop, basta lembrarmos de uma coisa: geralmente são os vilões que usam seus poderes em causa própria.

Mesmo cercados de bons exemplos, a busca pelo prazer, pela satisfação pessoal e pela felicidade ainda é a mola propulsora da maior parte de nossa sociedade. Nascemos nela e nela somos forjados; por isso, a procura pela realização do eu está presente até mesmo nos cristãos. Criamos um cristianismo customizado, aquele em que conseguimos encaixar nossas demandas e preferências e ainda assim dizer amém no domingo.

Nessa religião, colocamos tantas camadas por cima da mensagem de Jesus que o simples *vem e siga-me* é abafado pelas imagens de Cristo como psicólogo,

---

[2]Curiosamente, na apresentação do Homem-Aranha em *Capitão América: Guerra Civil* (2016), Peter tem uma conversa com Tony Stark na qual reverbera justamente esse conceito.

médico, guru, *coach*, revolucionário, filósofo e por aí vai. Chegamos a tal ponto que Jesus Cristo — o Senhor, aquele que pede exclusividade e compromisso, que exige nada mais nada menos que um caminho de cruz e de autonegação — desaparece, dando a impressão de que o amargo do chamado que ele faz precisa ser coberto com alguma coisa doce para ser aceito e digerido pelas pessoas. Tipo gente que entope de molho o prato de salada. Diluímos a mensagem bíblica para que ela caiba em nosso discurso inspiracional e motivacional, e pinçamos textos de seus contextos para, em nome da teologia *Good Vibes*, tornar o discurso de Jesus mais atrativo para o público. Packer foi na veia:

> *A ambição na vida (de muitos cristãos) parece limitada a edificar um bom lar cristão de classe média, fazer alguns bons amigos cristãos de classe média, criar os filhos com boas maneiras cristãs de classe média e deixar o marginalizado pela comunidade, cristão ou não, se virar da melhor maneira que puder.*[3]

---

[3]PACKER, James I. *O conhecimento de Deus*. 2. ed. São Paulo: Mundo Cristão, 2005, p. 76. Devo essa citação ao meu amigo Gutierres Fernandes Siqueira, que a postou em seu perfil no Facebook no dia 16 de dezembro de 2017.

Entendo que a verdade bíblica afirma que Jesus Cristo morreu em meu lugar não para que eu me sinta bem e seja salvo, mas para que eu seja salvo e servo. Ele não morreu na cruz por causa das nossas frustrações e decepções, mas por causa do nosso pecado. O propósito do Cristo pendurado no madeiro é a transformação de pessoas espiritualmente mortas em pessoas verdadeiramente vivas, que ajam para a glória de Deus. Nas palavras de Phillips:

> *Embora a salvação venha ao encontro da mais profunda necessidade do homem, essa ideia humanista de fazer uma coisa em favor do bem-estar da pessoa ignora completamente a razão fundamental pela qual Cristo morreu na cruz. Deus concede a salvação aos homens principalmente para trazer glória a ele por meio de um povo que tem o caráter do seu Filho (Efésios 1:12). A glória de Deus é mais importante do que o bem-estar do homem (Isaías 43:7).*[4]

Veja bem, eu não pretendo ser insensível. Creio que a mensagem bíblica conforta os corações. Inclusive,

---

[4]PHILLIPS, Keith. *A formação de um discípulo*. São Paulo: Vida, 2008, p. 22.

diferente de outros pensadores que também falaram mensagens de conforto, Jesus convidou os cansados e sobrecarregados para estarem em sua companhia (Mateus 11:28). Cristo andou por essa terra curando pessoas e confortando-as em suas dores. O problema é reduzir a mensagem de Jesus a isso. Tem muita gente se dizendo cristã e não saindo desse estágio de *coitadismo*. Temos que amadurecer, ler também

JESUS CRISTO MORREU EM MEU LUGAR NÃO PARA QUE EU ME SINTA BEM E SEJA SALVO, MAS PARA QUE EU SEJA SALVO E SERVO.

o versículo 29 de Mateus 11 e entender que a Bíblia não é sobre as nossas dores; é sobre Jesus e a vontade do Pai. Estar em missão com Cristo é aprender dele e, sim, ter paz na alma, mas sem esquecer que ele também diz: "tomem sobre vocês o meu jugo!". O jugo era uma estrutura de madeira que unia dois animais para carregarem uma carga, ou seja, tomar o jugo significa sujeitar-se. Logo, tomar o jugo de Jesus significa tornar-se seu discípulo e participante da sua missão.

Aí, eu faço a pergunta: Você acha que todo esse investimento de Deus, enviando seu Filho para morrer em nosso lugar e, assim, possibilitando que nós, seres humanos, "mortos por causa de nossos pecados", tivéssemos vida (Efésios 2:4), é para que fiquemos preocupados com nossos sonhos, planos de carreira e realizações? Hummm, eu penso que não. Paulo fala aos efésios: "Pois somos obra-prima de Deus, criados em Cristo Jesus a fim de realizar as boas obras que ele de antemão planejou para nós" (Efésios 2:10).

Ou seja, Deus tem sim planos e "sonhos" para nós, mas eles dizem respeito à sua obra e missão na terra e à maneira com que somos encaixados nessa tarefa. Quando Paulo afirma em Romanos 8:28 que "Deus faz todas as coisas cooperarem para o bem daqueles que o amam e que são chamados de acordo com seu propósito", ele está reforçando a seguinte ideia: tudo coopera, tanto as coisas boas como as ruins, para que a gente trabalhe nossa salvação com temor e tremor e desenvolva nosso chamado. E que chamado é esse? Viver as boas novas.

NOSSOS SONHOS NA VIA-CRÚCIS?

Caminhar com Jesus é perder a própria vida. Confira Mateus 16:24-25:

> *Então Jesus disse a seus discípulos:*
> *"Se alguém quer ser meu seguidor, negue*
> *a si mesmo, tome sua cruz e siga-me.*

Se tentar se apegar à sua vida, irá perdê-la.
Mas, se abrir mão de sua vida por minha
causa, a encontrará".

Não tem como suavizar essas palavras! A vida com Jesus é uma espécie de sentença de morte ao ego. Por "morte do meu eu" quero dizer a transformação dele, a ressignificação de quem eu sou. Experimentamos algo tão extraordinário que a Bíblia usa termos como "nascer de novo" e "nova criatura" para se referir a essa transformação.

A ressurreição de Jesus marca o início da fé genuína dos discípulos. Tanto que nascer de novo só é possível por causa da ressurreição. Pedro afirmou:

Todo louvor seja a Deus, o Pai de nosso
Senhor Jesus Cristo. Por sua grande
misericórdia, ele nos fez nascer de novo,
por meio da ressurreição de Jesus Cristo
dentre os mortos. Agora temos uma viva
esperança (1Pedro 1:3).

Ao aniquilar o poder da morte, Cristo possibilitou a vida eterna aos que renascerem nele. A esperança viva habita no discípulo regenerado. Ele sabe que todos os sofrimentos e perseguições que atualmente o assolam não serão a palavra final em sua vida, pois Jesus trilhou o mesmo caminho, sofreu até à morte, mas ressuscitou, garantindo, assim, o mesmo destino para os seus. A regeneração já é a vida do porvir, invadindo o crente aqui e agora. Berkhof definiu regeneração como a obra criadora de Deus que produz vida nova, pela qual o ser humano vivificado com Cristo pode ser chamado de nova criatura.[5]

Somente alguém que foi feito de novo pode entender e obedecer a Deus e à sua Palavra. Só os nascidos do Espírito entendem das coisas espirituais e estão aptos para responderem ao chamado divino. Piper disse:

> O primeiro efeito desse novo nascimento é que vemos e recebemos Deus, o seu Filho, a sua obra e a sua vontade como extremamente belos e valiosos. Isso é fé. Essa fé vence o mundo, ou seja, vence o poder escravizante do mundo em ser o nosso tesouro supremo [...] Somos livres para obedecer com alegria.[6]

---

[5]BERKHOF, Louis. *Teologia sistemática*. São Paulo: Cultura Cristã: São Paulo, 2007, p. 429.
[6]PIPER, John. *Finalmente vivos: o que acontece quando nascemos de novo?* São Paulo: Fiel, 2011, p. 127.

CRUCIFICANDO OS SONHOS

A sedução do mundo é justamente nos fazer acreditar que precisamos atender primeiro às nossas necessidades para, depois, quem sabe, atender às do próximo. Mas, se eu olho para os heróis da fé e os mandamentos divinos, vejo outro padrão: pessoas que se doaram e se entregaram em obediência a mandamentos que orientam a olhar para o outro em vez de olhar para o espelho. Já pensou se, no Getsêmani, Jesus, em profunda tristeza, pensasse só nele e na comunhão com o Pai? Aliás, ele pensou na comunhão com o Pai que todos os que nele cressem poderiam ter. O preço disso era muito alto e, mesmo assim, foi pago.

Os adeptos da teologia *Good Vibes* e do *Acredite nos seus sonhos*, em nome da autoestima, deturpam o mandamento de Cristo que nos diz para amar os outros como amamos a nós mesmos, e colocam os seus desejos e necessidades à frente do Reino de Deus. Eles dizem que devemos nos amar e sermos realizados para, assim, conseguirmos ofertar amor. Nessa busca pelos seus sonhos, vivem um cristianismo diluído.

Por isso, não faz sentido inverter o mandamento dado em Mateus 22:39 "Ame o seu próximo como a si mesmo". O mandamento é para amar a Deus sobre todas as coisas *e* ao próximo, e não para amarmos a nós mesmos. Já nos amamos, não precisamos de um mandamento para isso, e, como pecadores, esse sentimento geralmente é deturpado.[7] Ok, alguém pode argumentar: existem pessoas que não se amam. Levam uma vida sem perspectiva, sem metas e sonhos. Por isso, precisamos despertar nessas pessoas o amor-próprio para, depois, elas serem capazes de ofertar amor. Não penso que esse seja o caminho nem encontro respaldo bíblico para isso. Essas pessoas não precisam ouvir mensagens inspiracionais e motivacionais; elas precisam se render ao evangelho.

Devo lembrá-los de que vivemos num tempo em que, em nome do amor-próprio, pessoas estão se casando com elas mesmas. Simplesmente absurdo. A sologamia é uma demonstração clara desse devaneio do amor-próprio. Numa entrevista, uma mulher, que até cerimônia fez deste casamento sologâmico, declarou: "Aprendi a viver feliz sozinha, aprendi que me bastava". Interessante que, em determinado momento do vídeo, ela aparece se admirando no espelho.[8]

Marcada pelo pecado, nossa vida sempre irá priorizar o amor-próprio. Lewis já alertou:

---

[7]ADAMS, J. E. *Autoestima:* uma perspectiva bíblica. São Paulo: ABCB, 2007, p. 80.

[8]CASAMENTO SOLOGÂMICO. Olga Bongiovanni. São Paulo: Rede TV, 30 de maio de 2019. Programa de TV. Disponível em: <youtu.be/Ec-YOHBi6ls>. Acesso em: 9 dez. 2020.

A vida natural em cada um de nós é algo autocentrado, algo que deseja ser paparicado e admirado para tirar proveito de outras vidas e explorar o universo todo. E, especialmente, algo que deseja ser deixado por conta própria [...] Tem medo da luz e do ar do mundo espiritual [...] pois nossa vida natural sabe que, se a vida espiritual encontrá-la, todo o egocentrismo e a vontade própria serão mortos, e por isso vamos lutar com unhas e dentes para evitar que isso aconteça.[9]

Lewis cita o exemplo do próprio Cristo, que, em sua humanidade "escolheu uma carreira terrena que significava o aniquilamento dos seus desejos humanos a todo momento".[10]

Essa autorrealização é um engodo mundano, pois o indivíduo está buscando satisfação no aqui e no agora. E sabe o que é triste? Muitos, nessa busca, conseguem atingir alguns de seus objetivos e acham que essa realização é bênção de Deus. É o famoso "Estou vivendo os sonhos de Deus para minha vida". Autorrealização,

---

[9]LEWIS, C. S. *Cristianismo puro e simples.* São Paulo: Thomas Nelson Brasil, 2017, p. 233.
[10]LEWIS, 2017, p. 234.

autoestima, autoisso ou autoaquilo não fecham com o que Deus pede em sua Palavra.

Esse é o problema da autoestima, seja ela baixa, seja alta. Queremos curá-la com orgulho ou com aplausos. O eu e a sociedade não podem ser *o molde* do meu caráter. Não posso viver a partir do que penso ou do que pensam de mim. Keller usou o termo "autoesquecimento" em *Ego transformado* para falar sobre isso.[11] Um coração que foi transformado pelo evangelho só se preocupa com a opinião de Deus a seu respeito, e essa sentença já foi dada na cruz. A pessoa sabe, por causa de Cristo, que é amada por Deus, e esse veredito pauta toda a sua vida. Não é mais o seu ego querendo preencher um vazio. Quando queremos matar a fome do nosso eu com as coisas deste mundo, ficamos mais famintos, pois ilusão não preenche de verdade. Alguém já disse que somos *tubarões existenciais.*

> SE SONDARMOS NOSSAS INTENÇÕES MAIS PROFUNDAMENTE, VEREMOS UM EGO QUERENDO APLAUSOS!

---

[11] KELLER, Timothy. *Ego transformado:* a humanidade que brota do evangelho e traz a verdadeira alegria. São Paulo: Vida Nova, 2014.

CRUCIFICANDO OS SONHOS

Pense, por um momento, em quantas situações agimos inflamados pelo ego, pelo desejo de sermos alguém, de sermos aprovados e aceitos. Quantas vezes olhamos para o espelho e dissemos: "Eu mereço isso!"; "Eu vou fazer acontecer!"; "Eu preciso ser reconhecido!" entre outras frases de autoafirmação. Se sondarmos nossas intenções mais profundamente, veremos um ego querendo aplausos!

> *A humildade do evangelho mata a necessidade que tenho de pensar em mim [...]. Na verdade, deixo de pensar em mim mesmo. É o descanso bendito que somente o autoesquecimento nos oferece. A humildade verdadeira que brota do evangelho significa ter o ego satisfeito, não inflado. [...] Estamos falando de autoestima elevada? Não. De baixa autoestima? De jeito nenhum.*[12]

Um ego transformado é só mais uma parte de mim que cumpre a sua função, como os dedos dos pés. Se estiver tudo bem, nem percebo que estão ali. Agora, se dou uma topada no pé da mesa ou na quina da parede,

---

[12] KELLER, 2014, p. 34-35.

meu dedo machucado fica me lembrando da sua existência e, a todo momento, chama a atenção para si. Assim também é o ego do ser humano sem o novo nascimento: quer sempre estar no centro das atenções.

O ser humano deve encontrar sentido na vida porque Deus o ama e o criou para uma obra. Em Mateus 6, é a busca pelo Reino de Deus e sua justiça que traz realização ao ser humano. Quando entrego minha vida para Cristo, descubro o amor e uma missão. Isso me preenche e dá uma meta definida: "Tema a Deus e obedeça a seus mandamentos, pois esse é o dever de todos" (Eclesiastes 12:13). Repito aqui o resumo que Jesus fez do Antigo Testamento:

> *"Ame o Senhor, seu Deus, de todo o seu coração, de toda a sua alma e de toda a sua mente." Este é o primeiro e o maior mandamento. O segundo é igualmente importante: "Ame o seu próximo como a si mesmo" (Mateus 22:37-39).*

Leia o que Paulo escreve aos coríntios: "Ele morreu por todos, para que os que recebem sua nova vida não vivam mais para si mesmos, mas para Cristo, que morreu e ressuscitou por eles" (2Coríntios 5:15). Não viver para si mesmo é autoesquecer-se.

CAPÍTULO 3

OS SONHOS DE UM DISCÍPULO

MINHA FILHA MILENA, de 6 anos, disse que, quando crescer, quer ser dona de uma lanchonete para ajudar os pobres. Olha que legal, ela quer ser empresária e solidária. Tá no caminho certo, tá "sonhando" como uma discípula de Jesus, afinal, ser um seguidor de Jesus altera nossa perspectiva de vida. Mas o que significa ser um discípulo de Jesus?

A Bíblia define como discípulo aquele que se submete à disciplina de Jesus (Lucas 6:46). Só isso já deveria nos causar um frio na espinha. Falo isso porque vejo muitas pessoas indo para ele sem essa perspectiva de discipulado e disciplina. Muitos estão fazendo o que o jovem rico quis fazer: ser seguidor de Cristo sem abandonar os ídolos do coração.

John Stott, em seu livro *O discípulo radical*, defende a ideia de que não deveríamos ter abandonado o termo "discípulo" para se referir aos seguidores de Jesus, visto que o termo "cristão" só aparece três vezes na Bíblia. Ele afirmou: "Ambas as palavras (cristão e discípulo) implicam relacionamento com Jesus. Porém, 'discípulo' talvez seja mais forte, pois inevitavelmente implica relacionamento entre aluno e professor".[1] Isso faz bastante sentido para mim, pois, quando penso em discípulos, seja de quem for, eu imagino pessoas que, pelas suas características, lembram o seu mestre ou guia.

Talvez, na sua mente tenha passado agora alguma imagem que remeta a uma seita religiosa. Aquele pessoal vestido igual, seus rituais, tudo sem diversidade e espaço. Bem, deixe-me dizer a você que não é bem esse o conceito de discípulo de Jesus. Algumas igrejas já uniformizaram seus fiéis e os estereotiparam, a ponto de ser fácil identificá-los na rua. Era bem comum se ouvir: "Lá vai o crente!". Nesse caso, a indumentária era um dos marcadores da presença do crente na sociedade. Contudo, ainda que não seja problema ter uma roupa característica — exceto quando ela ganha status de doutrina bíblica — não é exatamente a uniformização da roupa ou do vocabulário que revela o quanto alguém é discípulo de Jesus. A essência está aqui:

> *Por isso, agora eu lhes dou um novo mandamento: Amem uns aos outros. Assim como eu os amei, vocês devem amar uns*

---

[1] STOTT, John. *O discípulo radical*. Viçosa: Ultimato, 2011, p. 10.

aos outros. Seu amor uns pelos outros
provará ao mundo que são meus discípulos
(João 13:34-35).

E como Cristo nos amou? Com amor sacrificial (Gálatas 2:20). Aqui, lembro uma frase que Guilherme Burjack postou numa rede social: "Tomar a sua cruz e seguir a Jesus é tomar para si a dor do outro e não a sua própria dor. O convite de Jesus é segui-lo até o Gólgota, onde ele morreu por nós, não por ele".

RECUPERANDO A ESSÊNCIA DO DISCIPULADO

Sabia que se você ficar repetindo uma palavra sem parar seu cérebro desativa o significado dela? Isso se chama, grosso modo, *saturação semântica*. Por exemplo, se você ficar repetindo: "discípulo, discípulo, discípulo, discípulo, discípulo...", o conceito e o significado do termo são anulados pelo seu cérebro, como uma espécie de defesa e prevenção. Nosso cérebro, ao perceber o uso excessivo dos processos responsáveis pela conexão entre o som que ouvimos e as memórias relacionadas a ele, desativa a conexão, de modo que a palavra repetida exaustivamente perca seu significado.

De forma análoga, podemos falar em saturação conceitual teológica, na qual o uso frequente e impensado de determinado conceito ou expressão pode nos levar a perder a compreensão de seu sentido. Eu não tenho dúvidas de que "cruz" ou "carregar a cruz" sofreram esvaziamento de sentido ao longo dos séculos. A cruz está tão incrustada em nossa cultura que, na maioria das vezes, perdemos de vista o real significado dela. Vamos ao Evangelho de Lucas para resgatar o real sentido da cruz e para entender por que é importante a crucificação de nossos sonhos.

Lucas registra uma fala de Jesus que, sem sombra de dúvida, assustou seus ouvintes: "Se não tomar sua cruz e me seguir, não pode ser meu discípulo" (Lucas 14:27). Na cabeça daqueles que ouviram essas palavras ao vivo, a afirmação soou como insanidade ou um soco no estômago. Pense comigo: antes da crucificação de Cristo, a cruz não tinha esse significado de salvação. Significava apenas tortura, rejeição e maldição. Significava castigo. Ser crucificado era o destino de pessoas maldosas, da escória da sociedade. Era um símbolo de vergonha. Enquanto os discípulos tinham em mente um projeto de conquista e poder, um caminho em direção ao trono, Jesus estava falando de rendição e serviço, de caminhar em direção à morte, de carregar um símbolo de vergonha e dor.

No mesmo contexto em que convoca os candidatos a discípulos a carregarem a cruz, Jesus conta duas parábolas que ilustram muito bem o preço de ser um discípulo dele. A primeira fala de planejamento. Jesus pergunta: "Quem começa a construir uma torre sem antes calcular o custo e ver se possui dinheiro suficiente para terminá-la?" (v. 28). Só alguém que quer passar vergonha, pois os outros dirão: "Esse aí começou a construir, mas não conseguiu terminar!" (v. 30). A segunda parábola fala de rendição. Jesus exalta a esperteza de um rei que se rende quando percebe que o exército do oponente é maior (vv. 31-32). Depois de contar essas duas passagens, Cristo arrematou: "Da mesma forma, ninguém pode se tornar meu discípulo sem abrir mão de tudo que possui" (v. 33).

Existem dois tipos de seguidores de Jesus: os discípulos e a multidão. Como um se distingue do outro? Simples: os discípulos estão submetidos à disciplina cristã enquanto a multidão só se encanta com suas palavras e busca seus milagres. Não pode ser discípulo quem ama família, carreira, bacon, amigos, amores e qualquer outra coisa acima de Jesus Cristo (Lucas 14.25-35).

Ser discípulo de Jesus não era a mesma coisa que ser discípulo de um rabino judaico. Nas palavras de Ladd:

> *Os rabinos exigiam a lealdade dos seus*
> *discípulos para com a Torah, e não para*

consigo mesmos; Jesus exigiu lealdade
à Sua pessoa. Os rabinos ofereciam alguma
coisa fora de si mesmos; Jesus oferecia
tão-somente a sua própria pessoa.
Jesus exigiu que seus discípulos se
rendessem sem reservas à sua autoridade.
Consequentemente, eles se tornaram
não apenas discípulos, mas também
douloi, escravos.[2]

Dessa forma, discípulos cristãos são os que se desprendem (ou vivem tentando) de suas vontades e seus anseios para se submeterem, assim, à mensagem de Jesus. Percebam: Jesus dirige vários de seus discursos à multidão, mas quantos estão lá no início da Igreja? Aproximadamente 120 seguidores. Ser discípulo de Cristo exige planejamento e rendição. Estão lembrados das parábolas contadas anteriormente? Existe um custo a ser pago no caminho do discipulado. E aqui a história do jovem rico cai como uma luva. Que tal parar aqui e ler agora essa passagem bíblica? Está em Lucas 18:18-23.[3]

---

[2]LADD, G. E. *Teologia do Novo Testamento*. São Paulo: Hagnos, 2003, p. 146.
[3]Sugiro o app YouVersion para leitura. Tem as versões NVT, NAA e NVI disponíveis gratuitamente.

JESUS NÃO É UM COMPLEMENTO

O jovem rico tinha boas intenções, era obediente à lei e admirava Cristo. Mas não quis largar seus sonhos e projetos. De alguma forma, ele queria encaixar Jesus dentro do seu esquema de vida. Ele queria que Jesus o seguisse, e não ser um seguidor de Jesus. Por trás do "vem e segue-me" de Jesus está um convite de *abandono da vida atual* para um novo foco, um novo caminho. Como já escrevi em páginas anteriores, o caminho do discipulado é um compromisso com Cristo e sua obra. Não basta ser religioso e seguir alguns mandamentos, é preciso se reduzir a ponto de, se for necessário, abandonar os próprios projetos e caminhar em outra direção. Mais do que isso, a essência dos mandamentos é o seguir a Deus com tudo que somos. O jovem rico não entendeu isso — seus sonhos e riquezas o cegaram para o verdadeiro caminho. Ele até mesmo se gaba da sua obediência à lei, porém, continua idólatra, o seu deus era o dinheiro. O que ele queria, como bem frisou Bonhoeffer, era apenas um acréscimo ao seu passado, "um complemento, um acabamento, aperfeiçoamento".[4]

Keller apontou para o detalhe do texto que diz: "Jesus o amou" (Marcos 10:21). De certa forma, ele se identificou com o jovem rico.

---

[4]BONHOEFFER, D. *Discipulado*. São Leopoldo: Sinodal, 2002, p. 34.

*Jesus também era um jovem rico, bem
mais rico do que aquele jovem poderia
imaginar. Ele havia vivido na dimensão
incompreensível de glória, riqueza,
amor e alegria da Trindade, por toda a
eternidade. Mas já tinha deixado essa
riqueza para trás. Paulo nos diz que,
embora Jesus fosse rico, ele se fez pobre
por nós (2Coríntios 8:9).*[5]

Assim, somos convidados a seguir o exemplo do verdadeiro jovem rico, daquele que abriu mão de tudo para resgatar os perdidos. Isso é fácil? Não, nem um pouco! Mas os ensinamentos da Bíblia nos são dados para sempre irmos além de nós mesmos, da velha natureza. Eles nos tiram da zona de conforto e nos fazem caminhar em direção ao novo que se faz pelo poder do Espírito. No Espírito Santo, podemos imitar o verdadeiro jovem rico e ter uma postura menos mesquinha em relação ao dinheiro e aos nossos sonhos.

Esse desejo do jovem rico aparece em nosso tempo de outras formas. Você já deve ter ouvido alguém dizer assim: "Nossa, aquela pessoa é muito legal, só falta Jesus na vida dela", ou ainda: "O vazio que você sente é do

---

[5]KELLER, Timothy. *A cruz do Rei*. São Paulo: Vida Nova, 2012, p. 163.

tamanho de Deus". Percebam que, em ambas as frases, Jesus é complemento. Meu amigo e pastor Cacau Marques foi brilhante quando disse que Cristo não quer ser tapa-buraco, preencher um vazio. Ele quer nos destruir e nos reconstruir ao redor dele.

Jesus não chama seguidores para apenas acrescentar algo à vida deles. Ele os chama para escrever uma nova história. No caso desse homem rico, o chamado ao discipulado requeria, em primeiro lugar, abandono das riquezas. Essa foi a história dele. Com isso, Cristo não está dizendo que todos que o seguem devem ser pobres, mas apenas afirmando que para ser um discípulo a pessoa deve esquecer aquilo que a prende aqui, aquilo que ocupa mais espaço em seu coração.

> *Jesus nunca implorou que alguém o seguisse. Ele era embaraçosamente direto. Ele confrontou a mulher no poço, com seu adultério; Nicodemos, com seu orgulho intelectual; os fariseus, com sua justiça própria. Ninguém pode interpretar "Arrependam-se, pois o Reino dos Céus está próximo" (Mateus 4:17) como uma súplica. Jesus ordenou a cada pessoa que renunciasse a seus interesses,*

abandonasse os pecados e obedecesse completamente a Ele.[6]

> **JESUS NÃO BUSCA FÃS OU PESSOAS ENTUSIASMADAS COM SUAS PALAVRAS, ELE BUSCA PESSOAS OBEDIENTES À SUA MISSÃO.**

Jesus não busca fãs ou pessoas entusiasmadas com suas palavras, ele busca pessoas obedientes à sua missão. O discipulado exige renúncia. Que fique bem claro, não estamos falando aqui de pagar o preço para sermos salvos, uma vez que Jesus já se ofereceu por nós. Estamos falando do processo de santificação e rendição pelo qual todos aqueles que estão em Cristo devem passar e permanecer, como sabiamente disse Dallas Willard: "A graça não é o oposto de esforço, mas, sim, do mérito".[7]

RESSIGNIFICANDO OS SONHOS

Jesus não chamou seres inanimados para sua obra. Chamou gente de carne e osso. Homens que tinham seus

---

[6]PHILLIPS, 2008, p. 21.
[7]Disponível em: <www.frasescristas.com.br/autores/dallas-willard/a-graca--nao-e-o-oposto-de-esforco-mas-sim-do-merito/>. Acesso em: 6 dez. 2016.

trabalhos, suas ambições e seus sonhos. Eram judeus que aguardavam um rei que chutaria bundas romanas e devolveria o reino a Israel. Quando começaram a seguir a Cristo, talvez tivessem isto em mente: o poder! Talvez pensassem: "Vamos andar com o Messias, pois, quando ele se sentar no trono, estaremos ao seu lado". Inclusive Marcos[8] relata esse pedido feito por Tiago e João a Jesus:

> *Então Tiago e João, filhos de Zebedeu,*
> *vieram e falaram com ele: "Mestre,*
> *queremos que nos faça um favor".*
> *"Que favor é esse?", perguntou ele. Eles*
> *responderam: "Quando o senhor se sentar*
> *em seu trono glorioso, queremos nos*
> *sentar em lugares de honra ao seu lado,*
> *um à sua direita e outro à sua esquerda"*
> *(Marcos 10:35-37).*

Seguiam a Jesus tendo em mente suas agendas e seus anseios. Porém, Deus tem sua própria agenda e seus próprios anseios, como ressaltou o reverendo Keller:

> *Mas eis a grande ironia do pedido*
> *deles. Qual foi o momento de maior*

---

[8] Em Mateus 20:20-28, quem faz o pedido é a mãe deles.

> glória de Jesus? Onde Jesus deu maior
> demonstração da glória da justiça de
> Deus? E onde ele revelou de forma mais
> profunda a glória do amor de Deus?
> Na cruz. No verdadeiro momento de sua
> maior glória, Jesus de fato teria alguém à
> sua direita e à sua esquerda, mas seriam
> criminosos condenados à crucificação.
> Assim, Jesus diz a Tiago e João: "Não
> sabeis o que pedis".[9]

Muitas vezes, nossos pedidos a Jesus têm a mesma essência. Davi Lago, ao falar sobre a bancada evangélica, denuncia isso. Queremos o poder pelo poder e para servir somente aos nossos interesses.[10] Achamos que leis cristãs tornarão as pessoas cristãs. Queremos o poder para governar e impor nossa moral e não entendemos que controle não gera transformação verdadeira. Cristo define o modelo correto de serviço: "Quem quiser ser o líder entre vocês, que seja servo, e quem quiser ser o primeiro entre vocês, que se torne escravo de todos" (Marcos 10:43-44). Discípulos de Jesus servem, seguindo o exemplo do Mestre. Este, mesmo

---

[9]KELLER, 2012, p. 173.
[10]Ouça nossa conversa com ele no BTCast 247 em bibotalk.com.

sendo Filho de Deus, não veio para ser servido, mas, em submissão aos propósitos do Pai, veio "para servir e dar sua vida em resgate por muitos" (Mateus 20:28). Visto que "se no centro de sua cosmovisão estiver um homem que morreu por seus inimigos, então sua maneira de conquistar influência na sociedade será através do serviço, e não de poder e controle".[11]

O que dizer do lava-pés de João 13? Aqui também a autoridade e o poder são demonstrados com um ato de serviço. Os discípulos sonhavam com a coroa e o trono, mas, no caminho de Jesus, o Rei se veste de escravo doméstico e mostra que ainda não é tempo de coroas, é tempo de bacias e toalhas. O caminho para o Pai passa pelos pés dos meus irmãos e irmãs!

A lógica do Reino de Deus é contrária à do reino de César, o imperador romano. "No mundo de César, o poder escraviza. No mundo de Jesus, o poder se torna escravo para elevar outros",[12] ou seja, o poder real é aquele que se curva para ajudar o outro a subir, que se faz caminho para o outro andar. É poder que empodera.

Como eu disse no início deste tópico, Deus chamou pessoas para sua obra. Pessoas com sonhos, planos e

---

[11]KELLER, 2012, p. 176.
[12]WILLIAMS, T. J. *Reflita:* tornando-se você mesmo ao refletir a maior Pessoa da história. Brasília: Monergismo, 2018, p. 95.

projetos. Os primeiros discípulos, mais tarde apóstolos, realmente largaram tudo para seguir Jesus. Entretanto, a Bíblia menciona uma série de outras pessoas que se renderam ao evangelho e não largaram tudo, como Lídia, uma comerciante de púrpura que abriu sua casa para pregação do evangelho (Atos 16:11-15) e se tornou uma pessoa importante no ministério de Paulo. Até onde sabemos, Lídia não deixou seu negócio para servir a Jesus e à Igreja. Pelo contrário, suas posses foram as bases da igreja em Filipos.

Você pode construir uma carreira, estudar para alcançar seus objetivos, ter um trabalho que lhe renda boa remuneração e até ser um empresário ou empresária de sucesso. Inclusive, Paulo fala que aquele que não trabalha também não deve comer (2Tessalonicenses 3:10). A pergunta que devemos nos fazer é: como minha fé e meu trabalho convergem para a glória de Deus, para o testemunho do evangelho? Pois se trabalhamos apenas para pagar contas ou conquistar coisas, estamos com a perspectiva errada sobre ser um discípulo de Jesus.

QUANDO O SONHO SE TORNA PECADO

Eu penso que cabe aqui uma breve reflexão sobre o pecado capital da avareza, visto que o dinheiro é peça fundamental na construção dos muitos planos e sonhos que as pessoas fazem.

Avareza, ambição ou cobiça é o quinto dos sete pecados capitais, e tem dois componentes principais: desejar o que não tem e preservar o que tem (mesquinharia). Os Guinness entendeu que:

> o âmago da avareza não é o amor pelas possessões, mas o possuir e, portanto, ser um possuidor. [...] Aqueles cuja paixão é a busca por possuir serão possuídos. [...] Como Francis Bacon escreveu: "Se o dinheiro não é seu servo, será seu mestre. Não se pode dizer do homem cobiçoso que ele possui riquezas, deve-se dizer que elas o possuem".[13]

Não é à toa que na obra de Dante Alighieri, *A divina comédia*, aqueles que estão no *purgatório* têm seus olhos fixos nas coisas terrenas, impossibilitados de ver o *paraíso*. Já os que estão no *inferno* ficam revolvendo fardos pesados, que simbolizam todo os seus esforços em conquistar e acumular bens terrenos.[14]

Essas metáforas fazem muito sentido, representam bem o que é o amor ao dinheiro. Paulo já nos advertiu:

---

[13]GUINNESS, Os. *Sete pecados capitais*: navegando através do caos em uma época de confusão moral. São Paulo: Shedd, 2006, p. 170-71.
[14]GUINNESS, 2006, p. 172.

Mas aqueles que desejam enriquecer caem
em tentações e armadilhas e em muitos
desejos tolos e nocivos, que os levam à
ruína e destruição. Pois o amor ao dinheiro
é a raiz de todo mal. E alguns, por tanto
desejarem dinheiro, desviaram-se da
fé e afligiram a si mesmos com muitos
sofrimentos (1Timóteo 6:9-10).

Como já dissemos, a fonte dos nossos desejos é inata a nós, criados à imagem e semelhança de um Deus que nos legou várias tarefas e nos deu várias fontes de prazer. Entretanto depois da Queda, todos esses desejos e prazeres se tornaram esferas suscetíveis à tentação e ao pecado. Por exemplo, a alimentação pode ser algo extremamente prazeroso, e precisamos comer para não morrermos, contudo, há o pecado da gula, no qual o comer assume o controle da nossa vida e só comemos pelo prazer. Mesma coisa com o sexo, fundamental para sobrevivência da espécie e extremamente prazeroso, contudo, há o pecado da luxúria. Nossos desejos se tornam pecado quando excedem os limites impostos por Deus.

O desejo de possuir coisas. Na administração
de Deus, há uma função na obtenção
de bens. Isso está subentendido na

> *ordem de ter domínio sobre o mundo*
> *(Gênesis 1:28) e nas parábolas dos talentos*
> *(Mateus 25:14-30). Ademais, a posse de*
> *bens materiais é considerada um incentivo*
> *legítimo ao trabalho árduo. Quando, porém,*
> *o desejo de adquirir bens deste mundo*
> *se torna tão dominante que passa a ser*
> *atendido a qualquer custo, mesmo por meio*
> *de exploração de outras pessoas ou roubo,*
> *ele se degenera em "desejo dos olhos"*
> *(1João 2:16).*[15]

Jesus foi enfático em Lucas 12:15: "Cuidado! Guardem-se de todo tipo de ganância. A vida de uma pessoa não é definida pela quantidade de seus bens". A parábola do rico insensato é emblemática e ilustra muito bem o que estamos falando. Jesus conta a história de um homem rico cujas terras produziram boa colheita. Ele, ao observar isso, derruba os velhos celeiros e constrói outros maiores para guardar todos os seus bens. Acompanhe o que a Bíblia diz:

> *Então direi a mim mesmo: "Amigo,*
> *você guardou o suficiente para muitos*

---

[15]ERICKSON, M. *Teologia sistemática*. São Paulo: Vida Nova, 2015, p. 577.

> *anos. Agora descanse! Coma, beba e*
> *alegre-se!". Mas Deus lhe disse: "Louco!*
> *Você morrerá esta noite. E, então, quem*
> *ficará com o fruto do seu trabalho?".*
> *Sim, é loucura acumular riquezas*
> *terrenas e não ser rico para com Deus*
> *(Lucas 12:19-21).*

Tem uma palavra nessa parábola que é bem significativa: louco. Em grego é *afron*, que pode ser traduzido também como "tolo, insensato, sem perspectiva ou sem mente". O rico não percebe a loucura que era o seu plano de boa vida (v. 19). Mas cá entre nós: quem não deseja ficar de boa na lagoa comendo, bebendo e alegrando-se? Aposentadoria perfeita! Então, o problema dele (e também o nosso) é que ele não entendeu que sua riqueza era dádiva (sua terra produziu boa colheita) e que dádivas são ganhas para serem compartilhadas. O texto nos diz que ele não tinha ninguém para deixar sua riqueza e nem passava pela sua cabeça o repartir com os necessitados.

Diante dos sonhos desse homem Deus brada: "LOUCO, esta noite te pedirão a tua alma" (Lucas 12:20, ARC). O verbo *pedirão* "em grego é uma palavra comumente usada para o retorno de um empréstimo. A sua alma lhe fora dada por empréstimo e agora o proprietário (Deus) quer que o empréstimo seja devolvido".[16] A vida é dádiva para ser repartida e vivida conforme o doador orienta!

Esse homem era louco e sem perspectiva. Talvez, do ponto de vista mundano, ele tinha muita perspectiva, pois planejou seus ganhos e futuro. Contudo, do ponto de vista eterno, era um tolo, pois é "loucura acumular riquezas terrenas e não ser rico para com Deus" (Lucas 12:21).

Esse alerta de Jesus contra a cobiça/avareza é para ricos e pobres. Depois de contar essa parábola, Jesus continua falando sobre a preocupação que a busca pelos bens materiais causam. Os fiéis são encorajados a não se preocuparem demasiadamente com as coisas deste mundo nem a colocar nelas a sua segurança; antes devem buscar o Reino de Deus e sua justiça.

Quando leio a descrição da cidade santa em Apocalipse 21, vejo que as ruas serão de ouro, ou seja, o que é importante para nós aqui na terra, será chão no céu! Precisamos ter a perspectiva certa na vida que levamos aqui, precisamos planejar a nossa vida com a mente de um discípulo de Jesus.

---

[16]BAILEY, K. *As parábolas de Lucas*. São Paulo: Vida Nova, 1995, p. 138.

CAPÍTULO 4

ABRINDO MÃO DOS SEUS SONHOS PARA VIVER A VONTADE DE DEUS

VIVEMOS NUM TEMPO marcado pela busca da autenticidade e da independência. Queremos ser originais e percebidos. Músicas, filmes e séries inspiram um estilo de vida descolado que não presta contas para ninguém. Acho que todo mundo já pensou em algum momento da vida em chutar o balde e viver do jeito que "der na telha". Contudo, viver desse jeito não é ser original, afinal, estamos sempre imitando alguém.

> o desejo pela autenticidade, entendido como desejo de ser quem queremos ser, jamais ocorre sem um mediador. Segundo Girard, esse mediador é sempre um modelo, alguém que nos causa profunda admiração e que nos faz desejar o que queremos ser — e ter também! Imitamos um modelo em nossos desejos.[1]

---

[1] MADUREIRA, Jonas. *O custo do discipulado:* a doutrina da imitação de Cristo. São Paulo: Fiel, 2019, p. 70-71.

O DEUS QUE DESTRÓI SONHOS

Segundo as Escrituras, temos um modelo a ser seguido e somos convidados a desejar o que Jesus desejou. Outro fator importante é que somos escravos.

Não sei se soa estranho a você o fato de os seguidores de Jesus serem chamados de escravos no Novo Testamento, mas é isso que Paulo ensina em Romanos 6. Nossas traduções mais antigas colocaram o termo grego *doulos* como servo. Contudo, servo não comunica a seriedade desse status. Fora que, se os escritores do Novo Testamento quisessem se referir a nós como servos, eles teriam outras palavras para isso, ou seja, quando dizem que somos *doulos*, querem dizer exatamente isto: somos escravos! Qual a implicação disso para a nossa espiritualidade? Faz mesmo diferença ser chamado de servo ou escravo?

Vamos começar pelas diferenças:

> *Embora seja verdade que os deveres de um escravo e os de um servo possam ter coisas em comum, até certo ponto, há uma distinção chave entre os dois: os servos são contratados; escravos são propriedade de alguém. Os servos têm a liberdade de escolher para quem trabalhar e o que realizar. A ideia de servidão preserva certo nível de autonomia e direitos pessoais.*

> *Escravos, por outro lado, não têm liberdade, autonomia nem direitos.*[2]

A ideia de escravidão que permeia o pano de fundo dos escritos do Novo Testamento é a romana, na qual o escravo era propriedade do seu senhor, "tinha a condição jurídica de 'coisa'"[3] e era, inclusive, vendido como mercadoria. Dessa forma, nesse capítulo, Paulo deixa bem claro a condição do ser humano: ou somos escravos do pecado ou somos escravos de Deus. Tipo, não existe a tal liberdade do "eu posso ser o que eu quiser".

Paulo está tratando do tema o cristão e o pecado

DESSA FORMA, NESSE CAPÍTULO, PAULO DEIXA BEM CLARO A CONDIÇÃO DO SER HUMANO: OU SOMOS ESCRAVOS DO PECADO OU SOMOS ESCRAVOS DE DEUS. TIPO, NÃO EXISTE A TAL LIBERDADE DO "EU POSSO SER O QUE EU QUISER".

---

[2] MACARTHUR, J. *Escravo:* a verdade escondida sobre nossa identidade em Cristo. São Paulo: Fiel, 2012, p. 24.

[3] PATE, C. Marvin. *Romanos.* São Paulo: Vida Nova, 2017, p. 148.

em Romanos 6. De acordo com o apóstolo, devemos nos considerar mortos para o pecado e vivos para Deus. A graça transborda na vida do pecador e o liberta da escravidão pecaminosa. Por isso, ele convoca os cristãos a não oferecerem seus corpos aos frutos da injustiça, antes, "ofereçam seu corpo como instrumento para fazer o que é certo para a glória de Deus. O pecado não é mais seu senhor" (Romanos 6:13-14). O versículo 16 é impactante:

> *Vocês não sabem que se tornam escravos*
> *daquilo a que escolhem obedecer? Podem*
> *ser escravos do pecado, que conduz à*
> *morte, ou podem escolher obedecer a Deus,*
> *que conduz à vida de justiça.*

Os leitores de Paulo entenderam o conceito de submissão implícito nesse exemplo da escravidão. Um escravo até pode ficar sonhando acordado e pensando no que vai fazer com essa tal liberdade,[4] construindo seus planos e elaborando o futuro, mas, ao abrir os olhos, a realidade o coloca no seu devido lugar. O escravo é alguém submisso, que sempre está devendo obediência a alguém, ou seja, não existe uma terceira

---

[4] Se, mentalmente, cantou a música do Só Pra Contrariar, você tá velho, hehe.

opção diferente dessas duas. O tornar-se cristão é, grosso modo, uma troca de proprietário.

> *Paulo primeiro afirma que ninguém é livre (v. 16). Todo mundo é escravo de alguma coisa ou de alguém! Todo mundo se oferece para "alguém". Todo mundo vive para alguma coisa. "Oferecemo-nos" como sacrifício sobre algum altar. Servimos todos a alguma causa [...] e essa coisa se torna senhor, e nós, seus escravos.*[5]

Loki estava certo em *Os Vingadores* (2012) quando disse que fomos feitos para sermos governados. Nas palavras de Thaddeus Williams: "A única coisa que não podemos fazer é *não* nos curvarmos perante algo".[6] J. K. A. Smith também reverbera isso em seu maravilhoso livro *Você é aquilo que ama*: todos nós estamos em busca de um reino, precisamos saber qual.[7] A questão é que só existe um reino que vai permanecer e que é eterno. Os que são construídos por nós são apenas castelos de areia. Ser súdito do Reino de Deus é ter

---

[5] KELLER, Timothy. *Romanos 1-7 para você*. São Paulo: Vida Nova, 2017a, p. 166.
[6] WILLIAMS, 2018, p. 100.
[7] SMITH, J. K. *Você é aquilo que ama*: o poder espiritual do hábito. São Paulo: Vida Nova, 2017, p.32.

nossos anseios e desejos alinhados aos anseios e desejos do Rei.

Antes que você fique meio desanimado com este capítulo, quero relembrar o que já escrevi antes: nós vivemos por meio da graça! Por meio do Espírito Santo, escolhemos obedecer ao Senhor, e, consequentemente, ele nos ajuda em nossas fraquezas e no exercício desse serviço. Como afirmou Keller: "O evangelho nos dá um novo incentivo para o viver piedoso, diferente do que tínhamos quando nos encontrávamos debaixo da lei como sistema de salvação".[8] Isto é, viver como escravo de Deus é um privilégio. Romanos 1 nos mostra o que fizemos com nossa liberdade depois da Queda. As grandes guerras também estão aí para nos lembrar do que somos capazes e, claro, nos pequenos egoísmos e deslizes do dia a dia, percebemos como somos escravos de nossos desejos. Desse modo, por que não colocar a vida nas mãos de quem governa a história? Por que não ser súdito do verdadeiro Rei?

Isso me lembra do escravo da orelha furada... Conhece essa história? Pela lei, os israelitas deveriam soltar seus escravos no sétimo ano de serviço. Porém, se durante o tempo de trabalho, eles recebessem esposas e tivessem filhos, os familiares não seriam soltos

---

[8]KELLER, 2017a, p. 165.

com eles. A partir disso, o escravo poderia escolher dois caminhos, a liberdade ou continuar como escravo. Depois de apresentado ao juiz para confessar que estava abrindo mão da sua liberdade, ele tinha uma das orelhas furada, e esse era o sinal de que, por amor, ele resolveu servir para sempre seu senhor (Êxodo 21).

De certa forma, isso acontece conosco. Somos de tal maneira constrangidos pelo amor de Deus manifesto na vida, morte e ressurreição de Jesus que parece não haver outro caminho senão esse do serviço. Paulo já disse:

> *Pois a graça de Deus foi revelada e a todos traz salvação. Somos instruídos a abandonar o estilo de vida ímpio e os prazeres pecaminosos. Neste mundo perverso, devemos viver com sabedoria, justiça e devoção (Tito 2:11-12).*

Andar no caminho da sabedoria, justiça e devoção é estar ciente de que essa senda o levará pela Via Crúcis. Carregar a cruz é um chamado à escravidão.

Em Mateus 10:38-39, lemos: "Quem se recusa a tomar sua cruz e me seguir não é digno de mim. Quem se apegar à própria vida a perderá; mas quem abrir mão de sua vida por minha causa a encontrará". O convite de

Jesus para viver como seu seguidor tem como essência a vida de um escravo. Apocalipse 3:12 mostra que, na eternidade, teremos o nome do Senhor gravado em nós. Não é um claro sinal de possessão? Então, somos do Senhor (Tito 2:14)! Assim como o Woody e o Buzz pertencem ao Andy.[9]

A VERDADEIRA MARCHA PARA JESUS

Trago à memória um desejo que tive bem no início da minha caminhada cristã. Eu e um amigo éramos jovens assembleianos, fervorosos na fé pentecostal, e gostávamos de pregar, por isso iríamos criar um ministério de pregação, que se chamaria Ministério Triunfo. Ok, ok, nome estranho, mas era início dos anos 2000, e cantávamos num coral de jovens chamado Vale da Renúncia, então estávamos no fluxo. O nome foi inspirado em 2Coríntios 2:14, que, na Almeida Revista e Atualizada, diz: "Graças, porém, a Deus, que, em Cristo, sempre nos conduz em triunfo". O ministério não saiu do papel, mas o texto bíblico ficou na mente e no coração. Tempos depois, parei para estudá-lo e descobri o que significa ser conduzido em triunfo por Cristo.

No início dessa carta, Paulo compartilha as dificuldades no seu ministério apostólico e algumas tristezas que

---

[9] No filme *Toy Story*, o menino Andy escreve seu nome na sola do pé de seus bonecos.

o abalaram. A partir de 2Coríntios 2:12, ele relata que, por falta de tranquilidade, despede-se de uma cidade e vai para outro lugar. Mesmo nesse novo local, ainda enfrenta muitas dificuldades (7:5), e a imagem parece de derrota — aliás, alguns dos coríntios tinham esta imagem de Paulo: um derrotado (10:10). Porém, a despeito dessas situações desagradáveis, o apóstolo rende graças a Deus por ser conduzido em vitória. Sua noção de vitória é ser levado como escravo e mensageiro de Jesus!

O que inspirou essa ideia de marcha triunfal dita por Paulo no versículo 14 foi provavelmente o cortejo dos generais romanos que, após uma vitória, entravam na capital trazendo atrás de si os escravos capturados na batalha. Para Paulo, Cristo é quem marcha vitoriosamente pelo mundo, e ele, antes inimigo, agora se vê como um prisioneiro desse general.[10] Deus usa esses cativos para espalhar a loucura da pregação (a fragrância), levando ao conhecimento do Cristo crucificado.

---

[10]KEENER, C. S. *Comentário histórico-cultural da bíblia:* Novo Testamento. São Paulo: Vida Nova, 2017, p. 599-600. Cf. também WERNER, Boor de. *Carta aos coríntios.* Curitiba: Esperança, 2004, p. 333-35. Alguns comentaristas dizem que aqui Paulo está se colocando, na verdade, entre os soldados desse general, pois ele sente o aroma, que, para ele, não é de morte, como é para os cativos da procissão. Explicando melhor: quando essa marcha entrava em Roma, um aroma era espalhado pelas ruas para celebrar a vitória e a chegada dos vitoriosos. Para o general e seus soldados, aroma de vida; para os cativos, aroma de morte. Mesmo nessa interpretação, o destaque é o general, não o soldado. O soldado aqui é alguém que obedece ao seu senhor.

ESCRAVO, FILHO OU AMIGO?

Mas, e aquele texto que diz: "Já não os chamo de escravos, pois o senhor não faz confidências a seus escravos. Agora vocês são meus amigos, pois eu lhes disse tudo que o Pai me disse" (João 15:15)? Parece que somos também amigos de Deus... Como conciliar tudo isso? Na verdade, uma posição não exclui a outra. Você pode ser filho ou filha do dono da empresa e, ao mesmo tempo, um de seus funcionários; por isso, podemos ser filhos de Deus, escravos do seu Reino e ainda seus amigos. O contexto de João 15, por exemplo, não exime esse amigo de responsabilidades, e é aqui que muita gente se perde. Entendem amizade com Deus como uma ida ao acampamento ou a um passeio no shopping. Deus como aquele amigo que está sempre presente nas horas difíceis. Deus como aquele parceiro, aquele *brother*. Ele é tudo isso mesmo, porém a dimensão do seu senhorio não pode ser esquecida. Lembre-se, Deus é o SENHOR!

No versículo 10 desse capítulo do Evangelho de João, percebemos que a *obediência* foi um fator chave no relacionamento entre Jesus e Deus (leia também João 8:29). Essa obediência foi e é motivo de alegria, e, portanto, Jesus não se intimida em dizer que essa amizade com ele está, em certa medida, condicionada à obediência aos mandamentos solicitada aos seus discípulos (v. 14).

Se a obediência é a condição de permanecer continuamente no amor de Jesus, não é menos importante lembrar que, em [João] 14:15,21, nosso amor por Jesus é a fonte de nossa obediência a ele, assim como nossa obediência é a demonstração da realidade daquele amor.[11]

Outro ponto central para entendermos João 15:15 é que a noção moderna de amizade não cabe aqui, pois não estamos falando de iguais. Eu não posso chegar para Deus e pedir obediência. Já imaginou a oração em que o crente fala para Deus obedecer aos seus pedidos? Ok, tem gente que trata Deus assim, mas isso é inversão de papéis.

O fato de, nessa passagem, sermos considerados amigos de Deus e não escravos é para entendermos que Deus compartilha conosco seus pensamentos e intenções. Nossa obediência não é cega e não estamos no escuro. Somos escravos que se sentam à mesa do rei e ouvem os planos dele. Outro texto que posso citar para completar esse raciocínio é o que Paulo fala aos romanos:

---

[11]CARSON, D. A. *O comentário de João*. São Paulo: Shedd Publicações, 2007, p. 521.

Pois vocês não receberam um espírito que os torne, de novo, escravos medrosos, mas sim o Espírito de Deus, que os adotou como seus próprios filhos. Agora nós o chamamos "Aba, Pai" (Romanos 8:15).

Ao adotar cada um de nós, Deus nos livrou da escravidão do pecado. MacArthur relata: "A adoção, nos tempos romanos, significava um novo começo: a entrada numa nova família, de forma que todos os laços de família anteriores e obrigações eram quebrados".[12] Contudo, por mais que o filho adotado ganhasse uma nova posição, ele "também tinha novas obrigações de honrar e satisfazer o pai".[13] Não somos escravos que fazem as coisas por medo de castigo ou desemprego. Somos filhos que obedecem ao pai e participam ativamente do que ele tem feito no mundo.

COMPRADOS POR ALTO PREÇO

Para encerrar este capítulo, longe de encerrar o assunto, penso ser interessante olharmos para alguns textos bíblicos que realçam nossa condição de escravidão e liberdade. Os primeiros estão em Mateus 20:28,

---

[12]MACARTHUR, 2012, p. 163.
[13]KELLER, Timothy. *Romanos 8-16 para você*. São Paulo: Vida Nova, 2017b, p. 30.

Marcos 10:45, Efésios 1:7, 1Timóteo 2:6 e 1Pedro 1:18. Neles é dito que Cristo veio servir e dar a sua vida em *resgate* de muitos, comprar a liberdade do ser humano e, dessa forma, livrá-lo de um estilo de vida vazio. Paulo escreveu a Tito "Ele entregou sua vida para nos libertar de todo pecado, para nos purificar e fazer de nós seu povo, inteiramente dedicado às boas obras" (Tito 2.14). Deus liberta da escravidão um povo para que este povo, o seu povo, viva para sua glória e honre-o com a vida, não voltando a ser escravo do mundo (1Coríntios 6:20; 7:23).

Isso é fácil? Nem um pouco. A todo momento, estamos propensos a negar essas realidades bíblicas, trocando-as rapidamente por um prato de lentilha deste mundo. Somos idólatras, com corações que não param de fabricar novos deuses. Desse modo, precisamos estar sempre expostos à pregação da Palavra e à presença de Deus em oração, e confiar que, em sua misericórdia, ele nos fará um pouco mais parecidos com seu Filho. Aqui cabe Hebreus 13:20-21:

> *E, agora, que o Deus da paz, que trouxe*
> *de volta dos mortos nosso Senhor Jesus,*
> *o grande Pastor das ovelhas, e confirmou*
> *uma aliança eterna com seu sangue, os*
> *capacite em tudo que precisam para fazer*

> *a vontade dele. Que ele produza em vocês, mediante o poder de Jesus Cristo, tudo que é agradável a ele, a quem seja a glória para todo o sempre! Amém!*

CAPÍTULO 5

SENHOR, QUAL A SUA VONTADE PARA MINHA VIDA?

SEJA NA FICÇÃO, seja na religião, os seres humanos curtem consultar oráculos, profetas ou videntes que mostrem o caminho a ser seguido. Queremos o futuro revelado. Sem dúvida, eu e você já fizemos esta oração: "Senhor, mostre-me o caminho a seguir". Ela, por um lado, é válida, por outro, inválida. Vamos entendê-la. Somos escravos que se sentam à mesa com o Rei e que têm acesso aos planos dele para o mundo. Como descobrir esses planos? Muitos cristãos piedosos perguntam qual a vontade de Deus para a vida deles. Na juventude, eu ouvia constantemente que precisamos estar no centro da vontade dele e coisas do tipo. Não queremos errar, por isso, em tudo, perguntamos pela vontade de Deus. O que não perguntamos é se essa prática é incentivada na Bíblia. Nela, não encontramos uma orientação clara para buscarmos a vontade de Deus. No Novo Testamento mesmo, nada! Pode procurar, não vai achar. Essa atitude de ficar perguntado pela vontade de Deus não é cristã, é pagã! São eles que praticam adivinhações e invocam as divindades no afã de saber qual o caminho certo a seguir.

Vejo muitos cristãos contarem histórias de como pediram um sinal da parte de Deus para seguirem o caminho A ou B e foram atendidos. Histórias assim não são padrão para a Igreja. Quantas histórias existem de pessoas que pediram um sinal e nada receberam? Pois é, não é porque dois ou três contam histórias desse tipo que temos um padrão bíblico.

Ainda que na Bíblia tenhamos histórias em que Deus guiou uma pessoa na tomada de uma decisão, temos que tomar cuidado na aplicação desses textos para nós hoje. Essas passagens falam de uma revelação especial da parte de Deus a um indivíduo com o propósito de abençoá-lo e de colocar em andamento a vontade divina para todo um povo. São intervenções pontuais na história.

Um caso clássico que inspira muitos cristãos a pedirem um sinal, uma prova para descobrirem a vontade de Deus, é o de Gideão, relatado em Juízes 6. Antes de ir à guerra, ele quer ter certeza de que essa é a vontade de Deus. Desse modo, coloca um pouco de lã na eira em que se peneiram os grãos e pede que, pela manhã, o chão esteja seco e a lã, molhada. Depois, repete o processo pedindo o contrário: chão molhado e lã seca. Deus dá o sinal a Gideão conforme solicitado.

No entanto, vejamos alguns pontos que mostram por que essa história não é um bom modelo para nós. Primeiro, fica evidente a falta de fé de Gideão na palavra que Deus dirigiu a ele no início do capítulo seis. O próprio Gideão fica meio ressabiado quando pede uma segunda prova de lã, pois diz no versículo 39: "Peço que não fiques irado comigo". Deus tem paciência com Gideão porque tinha planos para toda a nação de Israel. Segundo, Gideão não tinha Bíblia. O "lema" do livro de Juízes, por assim dizer, era cada um por si e Deus por todos (Juízes 21:25); logo, não devia servir de base para os cristãos.[1] Como bem frisou o pastor Heber: "Não só em Juízes, mas em toda Escritura, o padrão é que sinais eram dados em tempo de incredulidade. Eles não eram sinônimos de que o povo estava crendo em Deus, mas duvidando a tal ponto, que Deus interveio miraculosamente".[2]

No Novo Testamento, essas intervenções nem eram buscadas por aqueles que receberam Jesus. Elas foram realmente pontuais e não marcaram o padrão da ação da Igreja. Vejamos o caso do apóstolo Paulo. Depois que experimentou uma conversão dramática, indo ao chão

---

[1] DEYOUNG, Kevin. *Faça alguma coisa: uma abordagem libertadora sobre a vontade de Deus em sua vida.* São Paulo: Mundo Cristão, 2012, p. 88-89.
[2] CAMPOS JR., Heber. *Tomando decisões segundo a vontade de Deus.* São Paulo: Fiel, 2013, p. 94.

e ficando cego, ele já começou a pregar o evangelho assim que se recuperou. Waltke afirmou:

> Paulo viu uma grande luz, caiu por terra e ficou cego quando teve um encontro com Jesus Cristo. Foi um encontro maravilhoso, mas se tentarmos tornar essa experiência a norma para todas as novas experiências cristãs, deixaremos a maioria dos cristãos fora do Reino de Deus. [...] Paulo levou uma mensagem do evangelho para grande parte da Ásia Menor sem nunca ter tido uma intervenção divina especial. Quando chegou a experimentar uma revelação especial, recebendo uma visão de um homem chamando-o para ir a Macedônia, ele obedeceu. Mas a revelação especial de Deus era uma experiência rara e singular, mesmo para Paulo.[3]

Paulo não usa essa experiência como base para a sua missão e muito menos para a missão da Igreja. O que temos como padrão são mandamentos que devem ser

---

[3]WALTKE, Bruce. *Buscar a vontade de Deus:* uma ideia cristã ou pagã? São Paulo: Vida Nova, 2015, p. 26.

obedecidos. A vontade de Deus já está clara e revelada em sua Palavra. Ficar pedindo sinais para Deus é sintoma de imaturidade espiritual e fuga de um compromisso com as Escrituras que tão claramente revelam o que Deus espera de seu povo. Entenda: na Bíblia, o povo de Deus reconhecia, nos escritos sagrados, a vontade dele.

Nosso problema é que queremos saber a vontade de Deus para algo específico em nossa vida: com quem vou me casar, onde vou trabalhar, se devo fazer isso ou aquilo etc. E é aí que a coisa complica. São decisões que cabem a cada um fazer. Deus pode me dar sabedoria (Tiago 1:5-6) para escolher bem, mas sou eu que tomo essa decisão e arco com as consequências dela.

Só para dar um exemplo. Você começa a gostar de alguém e, em oração, pergunta: "Senhor, será que é da sua vontade eu gostar dessa pessoa?". Existe uma piedade e até submissão por trás dessa oração, mas ela não reflete a cultura bíblica em última análise. Alguém que conhece a vontade de Deus manifestada na Bíblia vai orar pedindo sabedoria a Deus para julgar a situação. Vai pesar o caráter da pessoa amada, se é tempo de namorar, se os pais aprovam o relacionamento e, o mais importante, descobrir se o sentimento é recíproco. Se depois de analisar tudo isso você chegar a um consenso positivo, não pergunte pela vontade de Deus. Peça logo a sua bênção!

Assim vale para outras áreas da vida. Penso que Deus não determinou na eternidade que você seria engenheiro civil e que iria se casar com sua segunda namorada. Ele deixou instruções claras de como deve ser a vida daqueles que se dizem seus servos, tendo essa base solidificada: seja professor ou contador, seja para a glória do Senhor.[4] Um discípulo toma as decisões levando em consideração seu relacionamento com Deus e seu chamado. Creio que Deus possa colocar vontades específicas em meu coração de modo que, a partir delas, eu direcione a minha vida, mas isso sempre estará em segundo plano, pois, em primeiro, estão *as*

---

[4]Esse tema da soberania divina e responsabilidade humana é um assunto bem amplo. No BTCast 164, sobre molinismo, a gente o discute mais profundamente. Você encontra o episódio em bibotalk.com.

vontades de Deus explícitas nas Escrituras. Ilustro contando uma história.

Meu amigo Beto sempre trabalhou com evangelismo urbano. Isso o levou a se envolver com missões e, posteriormente, missões transculturais. Em sua prática, obedecia ao IDE de Jesus. Ao assistir a um vídeo contando a realidade de crianças na África, seu coração foi tocado, e ele e sua esposa, Simone, se prepararam para essa grande missão. Não tenho dúvidas de que Deus direcionou os dois para essa obra em específico, ou seja, Deus só mostrou *o onde*; o IR já estava claro para eles desde o dia em que leram isso na Bíblia.[5]

Outro ponto importante é que a vida em comunidade nos ajuda a entender a vontade de Deus. Desde o início da minha conversão e das primeiras leituras bíblicas, eu demonstrava interesse em entender o texto bíblico. Como era de uma igreja pentecostal, até curtia os cultos *mais do reteté*[6] no começo, mas sempre gostei dos denominados cultos de doutrina e das pregações mais "calmas", sem contar a escola bíblica dominical. Esse meu interesse pelo ensino e a dedicação na igreja acabaram despertando a atenção de alguns irmãos na

---

[5] Eu conto um pouco da história do Beto no BTCast 185, disponível em bibotalk.com.
[6] "Culto do reteté" é uma expressão para rotular aqueles cultos que são marcados por gritos, manifestações corporais intensas, línguas estranhas, pregadores que falam alto.

comunidade, que bancaram integralmente minha formação teológica por quatro anos. Membros da igreja local viram potencial em mim e investiram. A comunidade é fundamental na descoberta dos meus dons. São meus irmãos e irmãs que testificam o que Deus me deu. Quando eles me fizeram a proposta de pagar um curso superior para mim, não era necessariamente para estudar teologia. Porém, eu não titubeei: fui logo procurar uma boa faculdade de teologia; afinal, eu tinha entendido, devido à minha vida em comunidade, que tinha jeito para ensinar a Bíblia, logo precisava aperfeiçoar esse talento.

Se eu creio que estou vivendo a vontade de Deus? Sem dúvida! Mas, em nenhum momento dessa trajetória, eu fiquei perguntando se isso era ou não da vontade de Deus, pois eu tinha a confirmação da comunidade, eu tinha o talento para a tarefa e a coragem para assumir o risco.

É preciso amadurecer espiritualmente e olhar para a Bíblia. Se Jesus disse em Mateus 7:21 que entrarão no reino dos céus "apenas aqueles que, de fato, fazem a vontade de meu Pai" e não entrarão "vocês que desobedecem à lei" (v. 23), entendemos que "estar no centro da vontade de Deus" é ser obediente aos seus mandamentos, ou seja, sua palavra! Para se aprofundar, leia Provérbios 2:1-6.

O povo de Israel, os primeiros destinatários da lei, não a enxergava como fardo, mas como algo positivo. Tanto que o conjunto de leis deles se chama *Torah*, que significa "instrução". Os israelitas exaltavam os mandamentos do Senhor porque estes indicavam a escolha de Deus pelo povo. Tinham a plena consciência de que a instrução dada a Moisés era boa, por isso, obedecer a ela era a resposta ao ato libertador de Deus.

É nesse contexto que devemos interpretar Salmos 37:4. O salmista nos orienta a nos deleitarmos no Senhor e, assim, ele satisfará os desejos do nosso coração. Deleitar-se nele remete à aliança que Deus fez com seu povo. O cerne da espiritualidade hebraica é o primeiro mandamento: não ter outros deuses, ou seja, não se deleitar em nenhum outro deus que não seja o Deus que libertou o povo da terra da escravidão. Um membro da aliança se alegra em Deus e em seus mandamentos. Os desejos do seu coração são desejos que espelham esse compromisso que todo o Israel assumiu com Deus no Sinai. Gosto de como a NVT traduziu esse versículo: "Busque no Senhor a sua alegria, e ele lhe dará os desejos de seu coração". Pois bem, o que um coração alegre no Senhor busca? A tese de John Piper, em sua Teologia da Alegria, é a de que quanto mais nos satisfazemos em Deus e em sua justiça, menos os prazeres desse mundo serão atrativos para nós.

Outro aspecto que tem dificultado a compreensão simples do chamado de todo crente ao caminho da fé e obediência à Palavra revelada é a glamourização do propósito. Somos levados a crer que Deus tem algo especial, único para nós. Ouvimos histórias de sucesso e de como pessoas ouviram a voz de Deus levando-as para fazer isso ou aquilo. Jovens e adolescentes andam ansiosos, esperando essa voz, para descobrirem seu propósito de vida. Também conheci pessoas de meia-idade frustradas por acharem que sua vida não foi tão significativa assim.

> NÃO FIQUE ESPERANDO O PROPÓSITO PARA CAMINHAR, PORQUE VOCÊ DESCOBRE O PROPÓSITO NA CAMINHADA. E DESCOBRIR O PROPÓSITO NA CAMINHADA É ENTENDER QUE O PROPÓSITO É O CAMINHO!

Eu já disse acima e repito: sucesso e público não serão a sina de todos. Talvez você seja um peregrino desconhecido caminhando por essa Terra, mas seja um desconhecido para a glória de Deus. Não ser famoso e não ter um grande público ou uma grande audiência não significa que você esteja sem propósito — propósito não tem a ver com isso. Entenda, por favor: não fique esperando uma voz do alto dizer qual é o seu propósito. Ele já disse, apenas obedeça. Por isso, levante-se e caminhe. Não fique esperando o propósito para caminhar, porque você descobre o propósito na caminhada. E descobrir o propósito na caminhada é entender que o propósito é o caminho!

Para finalizar este capítulo, quero frisar: ficar perguntando pela vontade de Deus em tudo na vida pode parecer espiritual, mas reflete um misticismo pagão e não cristão. Em Romanos 12:2, Paulo deixa bem claro que é "por meio de uma mudança em seu modo de pensar" que iremos experimentar "a boa, agradável e perfeita vontade de Deus". Veja bem, não é um exercício místico, recheado de sinais e maravilhas, é um exercício racional de reflexão possível aos que tiveram suas mentes transformadas. Aos efésios, Paulo recomenda: "Não ajam de forma impensada, mas procurem entender a vontade do Senhor" (Efésios 5:17). Como eu entendo a vontade dele? Refletindo e me entregando ao que está ordenado na Bíblia. Voltamos para Romanos 12:1:

> *Portanto, irmãos, suplico-lhes que entreguem seu corpo a Deus, por causa*

> *de tudo que ele fez por vocês. Que seja um*
> *sacrifício vivo e santo, do tipo que Deus*
> *considera agradável. Essa é a verdadeira*
> *forma de adorá-lo.*[7]

O verdadeiro culto a Deus é a nossa entrega diária. É a nossa vida sendo ofertada como sacrifício vivo repetidamente. Nas palavras de Cranfield: "Nenhuma adoração cultual pode ser aceitável a Deus desacompanhada da obediência de vida".[8] Sem essa obediência a ele, nossa tendência é seguir os costumes deste mundo (Romanos 12:2). Porém, se deixarmos Deus transformar nossa maneira de pensar, todo nosso eu será diferente. Só assim seremos capazes de experimentar a vontade de Deus e de discernir aquilo que é bom, perfeito e agradável.

---

[7] Ou "essa é sua adoração espiritual" ou "esse é seu culto racional".
[8] CRANFIELD, C. E. B. *Comentário de Romanos*: versículo por versículo. São Paulo: Vida Nova, 2005, p. 268.

CAPÍTULO 6

A ORAÇÃO QUE DÉSTRÓI SONHOS

CRIANÇAS GERALMENTE chamam por seus pais quando querem alguma coisa. Mãe mesmo, sem comentários. Eu nunca contei quantas vezes por dia meus filhos clamam pelo apartamento "Maaanhêêêêê", "Ô mãe". Se minha esposa ganhasse um real a cada invocação, nós já teríamos viajado para a Disney ou comprado uma lanchonete.

Crianças, no entanto, são assim, a gente entende. O que a gente não entende nem aceita muito bem é aquele amigo ou amiga que só chama quando precisa de algum favor. Já dá até um mal estar quando pipoca a mensagem no WhatsApp.

Muitas vezes somos assim com Deus. Nossa relação com ele é pautada quase que exclusivamente por orações pedindo alguma coisa. Geralmente, associamos o poder da oração às mudanças que ela causa na nossa realidade e ao mover de Deus a nosso favor. Pensada assim, ela é só um meio para eu obter aquilo que quero ou preciso. Oração passa a ser encantamentos ou palavras mágicas ditas a um gênio da lâmpada.

Ainda que a Bíblia fale que "quem deseja se aproximar de Deus deve crer que ele existe e que recompensa aqueles que o buscam" (Hebreus 11:6), e várias narrativas bíblicas mostrem pedidos atendidos, o todo da revelação deixa claro que a coisa mais preciosa que Deus pode dar ao seu povo é a sua presença. Por isso, a oração pode ser resumida como um diálogo entre duas pessoas que querem se conhecer; "é dar continuidade a uma conversa que Deus iniciou por meio da sua palavra e graça, que, com o tempo, vai se transformando num completo encontro com ele".[1]

A oração pode ser entendida como uma resposta pessoal e comunicativa ao conhecimento de Deus. Existem aqueles que o conhecem de forma genérica, superficial. De fato, para esses, ele é o nome que surge na boca quando o calo aperta. É o gênio da lâmpada e aquele que abençoa. A relação é pautada pela bênção e proteção, ou, nas palavras de Keller, "é um instinto humano de pedir ajuda com base num senso muito geral e desfocado de Deus".[2]

No entanto, existem aqueles que nasceram de novo e oram por meio do Espírito Santo. Esses tiveram a

---

[1]KELLER, Timothy. *Oração*: experimentando intimidade com Deus. Ed eletrônica. São Paulo: Vida Nova, 2016b.
[2]KELLER, 2016b.

visão de Deus clareada pelas Escrituras e, para eles, a oração é muito mais do que petição, é rendição à soberana vontade de Deus. Afinal, o ouvir precede o pedir. Isso é, se as nossas orações são respostas ao que o Senhor falou em sua Palavra, os nossos pedidos se tornam secundários. Repito: secundários, não desnecessários. Um discípulo verdadeiro também tem desejos para apresentar ao Pai.

Veja o apóstolo Paulo. Nas cartas dele, podemos ler algumas de suas orações. O que impressiona é a essência dessas orações. Para ele, o motivo que o leva a ficar de joelhos[3] está em seus leitores conhecerem a Jesus e terem os olhos do coração iluminados por ele (cf. Efésios 1:18).

> *Paulo vê esse conhecimento mais profundo de Deus como algo mais importante para receber do que a transformação das circunstâncias. [...] Conhecer melhor a Deus é do que necessitamos acima de tudo se pretendemos enfrentar a vida, sejam quais forem as circunstâncias.*[4]

---

[3]Segundo comentaristas, o judeu só dobrava os joelhos em oração quando o assunto era urgente, especial.
[4]KELLER, 2016b.

A partir do momento que temos essa compreensão, o "pedi e dar-se-vos-á" ganha outro significado; o "tudo que pedirdes em meu nome, recebereis" muda. A prioridade da nossa oração passa a ser o próprio Deus, não a realização dos nossos sonhos. Pedir em nome de Jesus também significa pedir o que Jesus pediria.

PEDIR EM NOME DE JESUS TAMBÉM SIGNIFICA PEDIR O QUE JESUS PEDIRIA.

Eu não irei escrever um tratado sobre oração; falta espaço, competência e experiência para isso. Porém, quero elencar aqui alguns princípios fundamentais para a nossa vida de oração a partir do que Jesus nos ensinou na oração do Pai-nosso. Ela é a resposta de Cristo ao pedido dos discípulos, "Senhor, ensina-nos a orar!", e penso que também deve ser o nosso.

Jesus nos deu esse modelo de oração para guiar as nossas palavras e nossos afetos. É fato que não sabemos orar como convém. Sem guia, percorreremos os caminhos do egoísmo, como Tiago já nos alertou: "E, quando pedem, não recebem, pois seus motivos são errados; pedem apenas o que lhes dará prazer" (Tiago 4:3).

Para Tiago, a oração nasce dos desejos, mas, uma vez que nossos

> desejos encontram-se confusos e
> desordenados, as orações também
> acabam sendo frutos dessa desordem.
> Ele afirma que oramos mas não temos
> nada porque nossas orações e súplicas
> nascem de nossas vaidades.[5]

Precisamos de uma oração mestra, de um guia nessa vida de relacionamento com Deus. Se usarmos a sequência e os temas apresentados no Pai-nosso, teremos uma reordenação dos nossos desejos e afetos, como John Wesley ensinou:

> O objetivo da sua oração não é informar
> Deus, como se ele não soubesse o que
> você quer. A oração é para você se
> informar. É para pensar no sentido dos
> seus desejos mais profundos. [...] Aliás,
> nossas orações são o verdadeiro teste
> dos nossos desejos. Nada que merece
> ter um lugar em nos nossos desejos
> deixa de merecer um lugar em nossas

---

[5]HOUSTON, J. *A fome da alma:* descobrindo como os mais íntimos desejos da alma afetam nosso comportamento e a verdadeira felicidade. São Paulo: Abba Press, 2003, p. 7.

orações. Aquilo pelo qual não podemos
orar, também não deveríamos desejar.[6]

JESUS ENSINA A ORAR

Portanto, orem da seguinte forma: Pai nosso
que estás no céu, santificado seja o teu
nome. Venha o teu reino. Seja feita a tua
vontade, assim na terra como no céu.
Dá-nos hoje o pão para este dia, e perdoa
nossas dívidas, assim como perdoamos os
nossos devedores. E não nos deixes cair em
tentação, mas livra-nos do mal. Pois teu
é o reino, o poder e a glória para sempre.
Amém (Mateus 6:9-13).

Antes de qualquer coisa, é preciso deixar bem claro que essa oração pertence a todo o povo de Deus. Se você nasceu no catolicismo, talvez até tenha lido a oração no ritmo que fazia ou faz nas missas. Se nasceu evangélico, dependendo da vertente, pode ter a tendência em pensar que repetir essa oração é coisa de católico. Mas, não, essa oração é de todos os que creem e pode ser repetida, desde que com consciência do que se repete.

---

[6]WESLEY, J. *O sermão do monte*. São Paulo: Vida, 2012, p. 148.

A ORAÇÃO QUE DESTRÓI SONHOS

Aliás, sobre repetições, eu me lembrei de um acontecimento. Certa vez, numa Conferência Fiel para Pastores e Líderes, dois amigos estavam olhando um material de orações dos puritanos. À época, zoei, dizendo que achava um absurdo comprar um livro com orações de outras pessoas, afinal onde está a intimidade e a espontaneidade do falar com Deus? O tempo passou. Um dia, durante o culto, um pastor pediu que repetíssemos a oração dele. A minha mente se abriu na hora. Por que não achava estranho repetir uma oração genérica de um pregador, mas tirava sarro de quem lia e tomava para si orações de pessoas piedosas do passado? Comecei então a lembrar-me das vezes que já havia usado os salmos como oração ou até mesmo letras de canções. Desde então, não vejo problemas em irmãos que, consciente e intencionalmente, usam livros de orações para seus momentos com Deus ou naqueles que se apoiam nas palavras do Pai-nosso.[7]

---

[7]Stott esclarece: "A conhecida tradução [...] 'não useis de vãs repetições' é enganosa, a não ser que fique claro que a ênfase foi colocada sobre 'vãs' e não sobre 'repetições'. Jesus não podia estar proibindo toda repetição, pois ele mesmo repetiu sua oração, notavelmente no Getsêmani, quando 'foi orar pela terceira vez, repetindo as mesmas palavras' ". STOTT, John. *Contracultura cristã*: a mensagem do Sermão do Monte. São Paulo: ABU, 1981, p. 67. A tradução NVT captura bem o sentido do texto: "Ao orar, não repitam frases vazias sem parar, como fazem os gentios. Eles acham que, se repetirem as palavras várias vezes, suas orações serão respondidas" (Mateus 6:7).

O DEUS QUE DESTRÓI SONHOS

Ao falar de oração em Mateus 6, Jesus não estava condenando a repetição, mas, sim, a repetição de frases vazias. Ele mesmo ensinou uma oração aos seus discípulos para ser repetida. Como afirmou N. T. Wright:

> *Parte da nossa dificuldade aqui é que nós, modernos, estamos tão ansiosos em fazer as coisas do nosso jeito que qualquer tipo de ajuda parece tirar nossa "autenticidade", já que não vem do nosso próprio coração. Por isso, hesitamos em usar as orações de outras pessoas.*[8]

Às vezes, faltam palavras quando oramos, portanto, replicar o que outras pessoas falaram a Deus compartilhando suas dores ou dúvidas pode ser um caminho. Nós nos apropriamos dos termos como se fossem nossos.

A oração do Pai-nosso reflete tudo o que Jesus fez e ensinou. Mais do que nos ensinar um modelo de oração, ele está falando de um estilo de vida.

> *Afinal, foi Jesus quem andou dizendo que era chegado o tempo de honrar o nome do Pai, de estabelecer o seu reino assim*

---

[8]WRIGHT, N. T. *Simplesmente cristão:* porque o cristianismo faz sentido. Viçosa: Ultimato, 2008, p. 177.

na terra como no céu. Foi Jesus quem
alimentou multidões com pão no deserto.
Foi Jesus quem perdoou pecadores e
disse a seus seguidores que fizessem o
mesmo. Foi Jesus quem enfrentou resoluto
o "tempo da prova" [...] para que outros
pudessem ser poupados. E foi Jesus quem
inaugurou o reino de Deus, exerceu o
poder de Deus, morreu e ressuscitou para
manifestar a glória de Deus.[9]

Por isso, quando oramos o Pai-nosso, estamos assumindo um compromisso com o que Deus fez e ainda está fazendo neste mundo. A nossa oração reconhece a primazia dos planos dele em relação aos que elaboramos. Segundo Stott, o conteúdo das nossas orações será afetado de duas formas. Primeiro, os interesses do Senhor terão prioridade ("teu nome; teu reino; tua vontade"). Segundo, as necessidades que temos serão totalmente entregues a ele ("dá-nos; perdoa-nos; livra-nos").[10]

Pai nosso que estás no céu

Ser um discípulo de Jesus vai além do papel de aluno aos pés de um mestre. É ser filho de um Pai amoroso.

---

[9]WRIGHT, 2008, p. 172.
[10]STOTT, 1981, p. 67.

Cristo veio ampliar a família de Deus, antes restrita aos fiéis da nação de Israel, e, desde então, estendida a todos que nele creem (João 1:12).

Jesus também abriu o caminho para a intimidade com o Pai, visto que ninguém antes na história bíblica teve a ousadia de falar com Deus de forma tão familiar:

> *Como uma criança fala a seu pai, com simplicidade, intimidade e sem temor. Portanto, não há dúvida alguma de que a palavra Abbá, utilizada por Jesus para dirigir-se a Deus, revela o próprio fundamento de sua comunhão com ele. [...] As palavras de Jesus expressam simplesmente uma experiência cotidiana: só um pai e um filho é que se conhecem mutuamente.*[11]

Em Gálatas 4:6, Paulo afirma que o Espírito foi enviado aos nossos corações, e ele clama *Aba* Pai! Portanto, somos autorizados a chamar Deus de *papai*, pois também somos filhos. E mais: segundo o pensador cristão J. I. Packer,

---

[11] JEREMIAS, J. *A mensagem central do Novo Testamento*. São Paulo: Academia Cristã, 2005. p. 27;31.

> *Se quiser julgar até que ponto uma pessoa entendeu o que é cristianismo, descubra que valor ela dá ao fato de ser filho de Deus e a ter Deus como seu Pai. Se este pensamento não dominar e controlar [...] toda a sua atitude perante a vida, isso quer dizer que não entendeu bem o cristianismo.*[12]

E o Pai é nosso, e quem chama Deus de Pai não foge da comunhão! O aspecto comunitário da vida de fé é latente nessa oração. Por mais que eu precise ter o "meu secreto" com Deus, não posso me ausentar da comunidade, da intercessão e da oração com os irmãos. É tudo nosso: a santidade, o clamor, o pão, o perdão, o livramento e o reino.[13]

AS NOSSAS ORAÇÕES PRECISAM TER A INTIMIDADE SUFICIENTE PARA CHAMAR DEUS DE PAI, MAS A SUBMISSÃO CONSCIENTE PARA PEDIR QUE A VONTADE DELE SEJA FEITA!

---

[12] PACKER citado por BARBOSA, Ricardo. *Caminhos do coração*. Viçosa: Ultimato, 2004. p. 149.

[13] Sobre a importância do aspecto comunitário na espiritualidade individual, ouça o BTCast 322. Disponível em nosso site ou Spotify, Deezer, Apple podcast ou apps de podcast.

É importante frisar que toda essa intimidade disponível a nós por meio de Cristo possui limites, como já mostrado no capítulo sobre sermos escravos de Deus. Ele é o nosso Pai e está no céu, e não podemos perder a dimensão da soberania e transcendência de Deus. As nossas orações precisam ter a intimidade suficiente para chamar Deus de Pai, mas a submissão consciente para pedir que a vontade dele seja feita!

Santificado seja o teu nome

Como entender essa petição? Como santificar um nome que já é santo? Lutero respondeu o seguinte:

> Para ser o mais claro possível, a resposta é: quando tanto nossa doutrina quanto nossa vida estão fundamentadas em Deus e são cristãs. Pois visto que nessa oração chamamos a Deus de nosso Pai, é nosso dever sempre nos comportar como filhos piedosos que não o envergonham, mas que, com a vida, dão a ele honra e louvor. No entanto, o nome de Deus é profanado por nós ou com palavras ou com ações.[14]

---

[14] LUTERO, Martinho. *Martinho Lutero:* uma coletânea de escritos. São Paulo: Vida Nova, 2017, p. 368.

Santificar o nome de Deus é viver como alguém santo. Isso, é claro, não significa ser sem defeito ou não pecar mais, mas, sim, abandonar os maus caminhos sempre que neles trilharmos. Significa que o nome de Deus não pode estar envolvido em falcatruas ou enganos. Esse pedido remete ao mesmo princípio do mandamento para não tomarmos o nome do Senhor em vão (Êxodo 20:7). Somos convocados a viver como aqueles que refletem o caráter dele, afinal "o nome de Deus não é uma simples combinação das letras D, E, U e S. O nome representa a pessoa que o usa, o seu caráter e a sua atividade. Portanto, o 'nome' de Deus é o próprio Deus, como ele é em si mesmo e se tem revelado".[15]

Ao orarmos "santificado seja o teu nome", estamos pedindo a Deus que nos torne santos, que ele aja em nós com seu poder purificador e que sua Igreja o glorifique na terra. Também estamos clamando para que o próprio Senhor santifique o seu nome, independentemente de nós.

Venha o teu Reino. Seja feita a tua vontade, assim na terra como no céu

Do mesmo modo como Deus já é santo e, mesmo assim, orienta que santifiquemos o seu nome por meio do

---

[15]STOTT, 1981, p. 68.

nosso testemunho, ele também é Rei, mas devemos manifestar esse reino por meio da nossa vida e pedir que venha de forma completa e plena. Como afirmou Stott:

> Orar que o seu reino "venha" é orar que ele cresça à medida que as pessoas se submetem a Jesus através do testemunho da Igreja, e que logo ele seja consumado com a volta de Jesus em glória para assumir o seu poder e o seu reino.[16]

Quando pessoas começam a se submeter ao Reino de Deus e passam a viver como súditas dele, a vontade do Senhor é feita. É só a vontade dele que importa! Por isso, o nosso testemunho é tão importante: ele mostra que o novo já veio e que o futuro glorioso de Deus nos atingiu por meio do evangelho de Jesus. A partir de Cristo, fomos encontrados pelo céu! Deus está entre nós! Uma nova realidade se tornou possível dentro desta realidade caída.

Contudo, se somos conclamados a continuar rogando "venha o teu reino" e "seja feita a tua vontade" é porque

---

[16]STOTT, 1981, p. 68.

tem mais para acontecer, como podemos ver no Apocalipse. Deus virá de uma vez por todas para acabar com o mal e fazer um novo mundo! Enquanto ele não volta, continuamos aqui, realizando sua vontade. Nessa direção, Carson comentou: "Se o anseio profundo do meu coração é que a vontade de Deus seja feita, então, ao fazer essa oração, também estou prometendo que, com a ajuda e graça de Deus, vou fazer a vontade dele até onde eu a conheço". E eu conheço a vontade dele lendo as Escrituras.

As primeiras três petições do Pai-nosso focam na glória de Deus, em seu Reino e sua vontade. Como disse no início deste capítulo, usar essa estrutura na nossa oração nos faz entender as prioridades do Senhor e qual deve ser a nossa. Contudo, as necessidades não são deixadas de lado, como se ele não se importasse conosco. Stott complementa:

> *Tendo expressado nossa ardente preocupação com a sua glória, expressamos agora nossa humilde dependência da sua graça. Quando compreendemos verdadeiramente que o Deus a quem oramos é o Pai celeste e o grande Rei, colocamos nossas necessidades pessoais em*

lugar secundário e subsidiário, sem, contudo, eliminá-las.[17]

Dá-nos hoje o pão para este dia

No tempo de Jesus, a maioria dos trabalhadores recebia por dia de trabalho e ganhava tão pouco que o dinheiro só dava para as necessidades básicas e diárias. Outro agravante era a possibilidade da perda da colheita, o que, numa economia agrária, é um verdadeiro desastre. Sendo assim, quando um discípulo do primeiro século fazia essa oração, estava clamando pelo básico da sua sobrevivência.[18]

Provavelmente, a condição da maioria dos meus leitores não é a descrita acima, entretanto, o princípio da petição permanece. O pão representa o essencial para a vida, aquilo de que realmente precisamos. Ao orarmos e meditarmos nessa petição, quem sabe nos daremos conta dos excessos da nossa cultura ocidental e da nossa própria vida. Quem sabe até venhamos a nos sentir tolos pedindo pelo pão de cada dia com a dispensa cheia e o pão coberto de Nutella no café da manhã.

Obviamente Deus não é contra a prosperidade financeira, mas a Bíblia sempre exortou sobre os

---

[17]STOTT, 1981, p. 68.
[18]CARSON, 2018, p. 75-76.

perigos das riquezas, e, muitas vezes, as nossas orações revelam um coração desejoso por riquezas e confortos deste mundo. Precisamos entender que o Senhor não é obrigado a atender ao nosso pedido por creme de avelã. Por outro lado, ele jamais deixará faltar o pão de cada dia.

Lutero tem um conceito interessante sobre essa petição:

> *Pois quando mencionas "pão diário" e o pedes, oras por tudo que é necessário para que possas ter e usufruir do pão diário e, por outro lado, te voltas contra tudo que impede de tê-lo e desfrutá-lo. Portanto precisas deixar teus pensamentos vaguear e te voltar para muitas coisas que não só para o forno ou saco de farinha; antes, precisa pensar no campo e na terra, que produzem e trazem a nós o pão diário e todo tipo de alimento. Pois se Deus não o faz crescer, o abençoa e o protege de perdas, não poderíamos tirar o pão do forno nem colocá-lo sobre a mesa.*[19]

---

[19]LUTERO, 2017, p. 375.

Ao explicar esse trecho da oração, o reformador incluiu todos os processos que cercam a nossa vida e garantem paz e tranquilidade, pois, onde existe guerra, existe a chance da carência do pão, do básico. Por isso, para Lutero, a nossa oração contém a intercessão pelos nossos vizinhos, mas também pelos governantes.

Em 2020, vivemos o início de uma pandemia que levou muitos irmãos e irmãs a ficarem sem o pão diário. Vimos como foi essencial a disponibilização de benefícios sociais, como o auxílio emergencial, e também a ação de igrejas e outros grupos no combate à fome. Ficou evidente que podemos viver sem alguns luxos e que, na hora do aperto, precisamos mesmo é do pão de cada dia.

Destaco ainda dois pontos interessantes desse pedido. Primeiro, ele evoca dependência. Devemos pedir pelo pão diário, pois Deus é aquele que supre as nossas carências. Segundo, ele pede constância, visto que precisamos do básico todos os dias. Dependência e constância são duas marcas da vida de oração de um discípulo. Aqui, preciso citar Provérbios 30:8-9 (NAA):

> *Não me dês nem a pobreza nem a riqueza;*
> *dá-me o pão que me for necessário,*
> *para não acontecer que, estando eu farto,*
> *te negue e diga: 'Quem é o Senhor?'*

ou que, empobrecido, venha a furtar

e profane o nome de Deus.

E perdoa as nossas dívidas, assim como perdoamos os nossos devedores[20]

É incrível como a oração do Pai-nosso nos empurra para a fraternidade.[21] Pedimos pelo pão da comunidade (*pão nosso*) e devemos perdoar as dívidas ou ofensas daqueles que vivem ao nosso redor. Somos a comunidade dos perdoados que, por isso, perdoa. Esse tópico da oração é tão importante que, depois de ensinar a oração modelo, Jesus volta ao tema nos versos 14 e 15 do mesmo capítulo: "Seu Pai celestial os perdoará se perdoarem aqueles que pecam contra vocês. Mas, se vocês se recusarem a perdoar os outros, seu Pai não perdoará os seus pecados".

A parábola do credor incompassivo,[22] em Mateus 18:23-35, lança luz sobre como devemos entender essa parte da oração. Em linhas gerais, quer dizer

---

[20]No Pai-nosso, fala-se em dívidas ou ofensas, dependendo da tradução, mas ambas são sinônimos de pecado para a cultura da época.

[21]MENDONÇA, J. T. *Pai-nosso que estás na terra*: o Pai-nosso aberto a crentes e a não crentes. São Paulo: Paulinas, 2013, p. 92.

[22]Temos um podcast incrível analisando essa parábola. Você pode ouvir em nosso site ou Spotify, Deezer, Apple ou apps de podcast. Basta procurar por BTCast 105.

que alguém que foi ou está sendo perdoado por Deus demonstra um comportamento semelhante ao do Pai, e o Pai sempre perdoa os que pedem perdão.

E não nos deixes cair em tentação, mas livra-nos do mal

Assim como dependemos de Deus para o básico do nosso sustento físico, também dele dependemos para o sustento espiritual. A nossa inclinação natural são as obras da carne (Gálatas 5), e somente com o auxílio divino conseguimos resistir às tentações.

Jesus nos exortou a vigiar e a orar para não ceder às dificuldades (Mateus 26:41), pois sabe da nossa fraqueza moral e da existência do mal no mundo. Com esse pedido, estamos dizendo: "Pai, não nos deixe numa situação em que possamos pecar contra o Senhor e contra os nossos irmãos. Não nos coloque em uma posição na qual poderemos ceder pela pressão. E, Deus, que o mal diário (Mateus 6:34) não nos afaste da sua vontade e que o seu Reino se estabeleça plenamente a fim de que o mal deixe de existir".

Quanto mais cedo entendermos que o cristianismo é um campo de batalha e não um parque de diversões, mais consciência da importância desse pedido teremos. Lutero alertou:

O Diabo pode, neste exato momento,
atirar uma flecha ao meu coração a
ponto de que eu só consiga resistir com
muito esforço. Pois ele é um inimigo que
nunca desiste nem se cansa. Assim que,
quando uma tentação acaba, sempre
surgem outras, diferentes e novas.
[...] "amado Pai, tu me ordenaste orar;
não permitas que eu te abandone por
causa das tentações.[23]

Pois teu é o reino, o poder e
a glória para sempre. Amém!

Milena, minha filha, aprendeu muito cedo a orar o Pai-nosso. Com o passar dos anos, o desafio é ensiná-la sobre a profundidade de cada uma das petições que formam essa oração. É fazê-la compreender o estilo de vida que essa oração comunica. Se eu falhar em ensiná-la, ela estará, dia após dia, jogando suas palavras ao vento e usando vãs repetições.

---

[23]LUTERO, 2017, p. 382.

CONSIDERAÇÕES FINAIS

O DEUS SELVAGEM

EM *AS CRÔNICAS DE NÁRNIA*, fantasia criada por C. S. Lewis, sem dúvida a personagem principal é o leão Aslam. Ele é o criador e o salvador de Nárnia. Aslam é o Cristo de Nárnia; o leão de Lewis remete ao Cristo do cristianismo. E Aslam tem uma característica interessante que, volta e meia, aparece ao longo das crônicas. No final do livro *O Leão, a feiticeira e o guarda-roupa* podemos ler:

> *Justamente quando a alegria estava no auge, Aslam desapareceu sem ninguém perceber. Quando souberam disso, os reis e as rainhas não fizeram comentários. O Sr. Castor já tinha avisado.*
>
> *— Ele há de vir e há de ir-se. Num dia, poderão vê-lo; no outro, não. Não gosta que o prendam... e, naturalmente, há outros países que o preocupam. Mas não faz mal. Ele virá muitas vezes.*

*O importante é não pressioná-lo, porque,
como sabem, ele é selvagem. Não se trata
de um leão domesticado.*[1]

Nas histórias de Lewis, as personagens aprendem que Aslam não existe para atender seus caprichos e vontades. Ele faz o que quer. Elas entendem, ao longo das histórias, que o Salvador não pode ser domesticado, pois é selvagem. Contudo, sabem que ele é bom.

Penso que Lewis queria nos ensinar isso: nós também não podemos domesticar Deus. Não devemos ficar dizendo o que e quando ele deve fazer as coisas, pois ele faz quando lhe apraz. Claro que isso não anula a nossa oração, mas, como já disse acima, oração não é encantamento; é um coração de joelhos, submetendo--se ao bondoso Pai.

Deus conhece nossa história e, sim, tem vontade de abençoar seus filhos, mas ele não cai em nossos jogos de manipulação e não permite que seu nome seja usado para o nosso próprio benefício.

Aprendemos isso com a revelação do nome de Deus a Moisés e, posteriormente, com o terceiro mandamento. Vários nomes são atribuídos a Deus ao longo do Antigo Testamento, mas o revelado a Moisés tem algo

---

[1]LEWIS, C. S. *As Crônicas de Nárnia*. São Paulo: Martins Fontes, 2005, p. 184.

de especial, pois, mais do que revelar algo sobre a pessoa de Deus, ele carrega uma dádiva: a presença constante de Deus. O nome de Deus "YHWH" assemelha-se à expressão "eu sou" em hebraico (Êxodo 3.14), ou seja, relaciona-se com o verbo "ser" que, em hebraico, não significa simplesmente "existir", mas, antes, "estar ativamente presente". Tem o sentido de uma presença relacional e atuante. Aponta para um Deus que intervém, que é pessoal, relacional e vivo.[2]

Segundo a ótima pesquisa que meu amigo André Reinke fez em seu livro *Aqueles da Bíblia* (a melhor história de Israel que já li), os povos antigos, como os egípcios, por exemplo, acreditavam que havia um nome secreto dos deuses que, se descoberto, poderia ser utilizado em rituais de magia com intenções maldosas e obscuras.[3] Com YHWH, porém, é diferente. Ele revela seu nome para Moisés e, com a revelação, vem a dádiva da sua presença atuante e constante. Ele também permite que seu nome seja invocado, contudo, proíbe que seja usado em vão (Êxodo 20:7), isto é, de forma frívola,

---

[2]SCHMIDT, Werner H. *A fé do Antigo Testamento*. São Leopoldo: Sinodal, 2004. p. 104; GOLDINGAY, John. *Teologia bíblica*: o Deus das escrituras cristãs. Rio de Janeiro: Thomas Nelson Brasil, 2020. p. 22.

[3]REINKE, André. *Aqueles da Bíblia*: história, fé e cultura do povo bíblico de Israel e sua atuação no plano divino. Rio de Janeiro: Thomas Nelson Brasil, 2021, p. 106. Ou seja, o nome da divindade e o poder que ele supostamente carregava era usado para benefício próprio de um indivíduo ou nação.

em maldições, falsidades. Veja o que diz um estudioso do Antigo Testamento:

> *Envolver o nome de Deus em "falsidades" é proclamar algo falso em nome de Deus. A igreja que anuncia uma teologia falsa é culpada de violar esse mandamento, pois associa o nome de Deus a um ensino falso [...] Alguns pregadores usam o nome de Deus para enriquecer, fingindo ministrar ao povo de Deus, quando na verdade estão espoliando. Outros cristãos usam o nome de Deus para levar adiante seus projetos pessoais, afirmando que tiveram visões e receberam orientação da parte de Deus, quando isso não aconteceu. Todos são exemplos práticos de violações do terceiro mandamento.*[4]

Esse é o Deus que destrói sonhos! O Deus que zela pelo seu nome e pelo seu povo. Que não se agrada de estar envolvido em projetos humanos de poder e de ambições. Um Deus que espera obediência e reverência. Um Deus que deve ser temido.

---

[4]WALTKE, B. K. *Teologia do Antigo Testamento*: uma abordagem exegética, canônica e temática. São Paulo: Vida Nova, 2015, p. 472-73.

Nossa geração fala muito de paixão e intimidade com Deus; contudo, trata-se de uma relação não mediada pela Palavra, mas pelos sentimentos. Durante o tempo que tirei para fazer a pesquisa para este livro, percebi muita gente chorando e chamando Deus de "papai" na hora do louvor, além de várias pregações emotivas. No entanto, me pareceu faltar uma ideia do papel da Igreja na missão de Deus, derivado, talvez, de pouco entendimento sobre a Bíblia. Para ilustrar bem esse ponto, cito um "tristemunho" que vi em um *talk show* do SBT. Naquele episódio do programa[5] estava um jovem pregador que roda o Brasil contando o seu testemunho. Num determinando momento da entrevista, o apresentador fez uma referência ao texto de Paulo em 1Coríntios 13, e o jovem pregador não fazia ideia do que dizia aquele capítulo. Estamos falando de um texto quase tão conhecido quanto o Salmo 23 e que já foi tema de poemas e canções. Perceba, eu não duvido de que aquele pregador tenha tido um encontro com Jesus e que o ama profundamente, mas me questiono quanto ao que ele prega Brasil afora. Suas pregações são baseadas só no seu testemunho de conversão, que

---

[5]ENTREVISTA. The Noite com Danilo Gentili. Osasco: SBT, 7 de maio de 2020. Programa de TV. Disponível em: <youtu.be/abMys0a9Pes>. Acesso em: 29 jan. 2021.

é relevante apenas porque ele trabalhou como apresentador de televisão e já foi famoso?

Essa intimidade testemunhada por muitos pregadores e cantores se revela rasa demais. Mostra uma relação sem compromisso e com falsa paixão. Eu digo falsa paixão por não representar um ajuste real com Deus e sua obra. Na Bíblia, paixão não tem muito a ver com o nosso sentimento romântico moderno, aliás, não existe o mandamento de nos apaixonarmos por Jesus. Se quisermos falar de paixão, que falemos a partir do exemplo de Cristo. Qual é o nome da sexta-feira em que Jesus foi crucificado? Sexta-feira da Paixão, certo? Aqui, paixão está ligada à obediência e ao sofrimento. Então, aqueles que se dizem apaixonados por Jesus devem ter a paixão de Cristo.

Ser biblicamente apaixonado por Deus é cumprir os seus mandamentos, mas como obedecerei àquilo que não conheço? Jesus é enfático: "Por que vocês me chamam 'Senhor! Senhor!', se não fazem o que eu digo?" (Lucas 6:46). Logo depois de mandar essa "cajadada", ele conta a parábola dos dois fundamentos ou dos dois construtores. Na passagem, o homem que ergueu a sua casa firmada na rocha é o prudente, enquanto aquele que a construiu sobre a areia é o insensato.

Joshua Harris atentou para o fato de que o construtor insensato só descobriu a sua imprudência quando vieram as águas e derrubaram a casa. Durante todo o processo de construção e moradia, ele achou que estava no caminho certo e que tinha feito um bom trabalho, mas acabou traído pela ânsia de ter em menos tempo, já que não se preocupou com a fundação, apenas com uma boa casa que tivesse vista para o mar.[6]

Essa espiritualidade imediatista e sem preocupações com a fundação é contrastada com a espiritualidade paciente e prudente. Estar firmado na rocha é estar edificado nos ensinamentos de Jesus, ou seja, ter como fundamento a boa doutrina e não arrepios, experiências místicas ou recebimento de bênçãos. Sabedoria é ouvir Jesus e colocar em prática seus ensinamentos.

---

[6]HARRIS, J. *Cave mais fundo*. Ed. eletrônica. São Paulo: Fiel, 2018.

O DEUS QUE DESTRÓI SONHOS

Na mentalidade bíblica, ter o conhecimento e não o praticar é insensatez. Como podemos ler na parábola, o construtor que teve a sua casa destruída pelas águas também ouviu os ensinamentos, mas não os praticou. Ele, quem sabe, estava mais preocupado com os seus sonhos e projetos do que com a missão. Não permitiu Deus destruir os seus sonhos, e isso o levou à ruína.

Ter as nossas emoções mobilizadas pela presença de Deus em um momento de oração ou louvor comunitário é muito bom. Ser agraciado com um milagre ou uma oração atendida é motivo de grande alegria. Porém, ser um cristão espiritual vai além disso e requer preparo nos fundamentos e um conhecimento doutrinário sólido.

Penso que começa a ficar claro que, para um discípulo de Jesus, não tem essa de viva seus sonhos, pense grande e coisas do gênero. O discípulo verdadeiro assume um compromisso com Deus que implica em negar a sua vontade para viver a vontade dele. Não é fácil, mas ele vai gastar a vida tentando, afinal o evangelho o constrange a isso.

É sempre importante lembrar que somos alunos nessa escola de Cristo. Mesmo os discípulos que andaram com Jesus e viram todos os milagres da sua obra tiveram fraquezas e nem sempre acertaram. Pedro, por exemplo, agiu de forma hipócrita, sendo censurado por

Paulo, o qual, aliás, admitiu ser o maior dos pecadores. Então, nunca se esqueça dessa nossa condição de aprendiz e saiba que Deus não desampara um coração arrependido. Como ouvi certa vez: "Ser discípulo de Jesus é, acima de tudo, estar aos pés de Cristo".

Outro ponto importante que devemos ter em mente é que a entrega não garante salvação. Deus não se impressiona com pessoas que fazem o bem e as leva para o céu só porque fazem o bem. Evangelho não é o ser humano em direção a Deus, com mãos cheias de boas obras para trocar por uma coroa. Evangelho é Deus em direção à criação, com mãos cheias de sangue, trocando a coroa pela cruz!

> **EVANGELHO NÃO É O SER HUMANO EM DIREÇÃO A DEUS, COM MÃOS CHEIAS DE BOAS OBRAS PARA TROCAR POR UMA COROA. EVANGELHO É DEUS EM DIREÇÃO À CRIAÇÃO, COM MÃOS CHEIAS DE SANGUE, TROCANDO A COROA PELA CRUZ!**

O evangelho é então, antes de qualquer coisa, um relato sobre a obra de Cristo a nosso favor — é por esse motivo e dessa

> *maneira que o evangelho é salvação pela graça. O evangelho é boa notícia porque se trata de uma salvação realizada a nosso favor. É uma boa notícia que cria uma vida de amor, mas a vida de amor não é, em si, o evangelho.*[7]

Bem, se eu estivesse com amigos na pizzaria conversando sobre isso e alguém citasse essa definição do Keller, só diria: "Passa a régua e fecha a conta!".

---

[7] KELLER, 2014, p. 38.

REFERÊNCIAS BIBLIOGRÁFICAS

ADAMS, J. E. *Autoestima:* uma perspectiva bíblica. São Paulo: ABCB, 2007.

BAILEY, K. *As parábolas de Lucas.* São Paulo: Vida Nova, 1995.

BERKHOF, Louis. *Teologia sistemática.* São Paulo: Cultura Cristã, 2007.

BONHOEFFER, D. *Discipulado.* São Leopoldo: Sinodal, 2002.

CAMPOS JR., Heber. *Tomando decisões segundo a vontade de Deus.* São Paulo: Fiel, 2013.

CARSON, D. A. *O comentário de João.* São Paulo: Shedd, 2007.

CRANFIELD, C. E. B. *Comentário de Romanos*: versículo por versículo. São Paulo: Vida Nova, 2005.

DEYOUNG, Kevin. *Faça alguma coisa:* uma abordagem libertadora sobre a vontade de Deus em sua vida. São Paulo: Mundo Cristão, 2012.

ERICKSON, M. *Teologia sistemática.* São Paulo: Vida Nova, 2015.

GUINNESS, Os. *Sete pecados capitais*: navegando através do caos em uma época de confusão moral. São Paulo: Shedd, 2006.

HARRIS, J. *Cave mais fundo*. Ed. eletrônica. São Paulo: Fiel, 2018.

HARVEY, Dave. *Resgatando a ambição*. São Paulo: Fiel, 2011.

HORTON, Michael. *Simplesmente crente:* por uma vida cristã comum. São Paulo: Fiel, 2016.

HOUSTON, J. *A fome da alma:* descobrindo como os mais íntimos desejos da alma afetam nosso comportamento e a verdadeira felicidade. São Paulo: Abba Press, 2003.

JEREMIAS, J. *A mensagem central do Novo Testamento*. São Paulo: Academia Cristã, 2005.

KEENER, C. S. *Comentário histórico-cultural da bíblia:* Novo Testamento. São Paulo: Vida Nova.

KELLER, Timothy. *A cruz do Rei*. São Paulo: Vida Nova, 2012.

_____. *Deuses falsos*: desmascarando as promessas vazias do sexo, do poder e do dinheiro. Rio de Janeiro: Thomas Nelson Brasil, 2016a.

_____. *Ego transformado:* a humanidade que brota do evangelho e traz a verdadeira alegria. São Paulo: Vida Nova, 2014.

REFERÊNCIAS BIBLIOGRÁFICAS

_____. *Oração*: experimentando intimidade com Deus. Ed Kindle. São Paulo: Vida Nova, 2016b.

_____. *Romanos 1-7 para você*. São Paulo: Vida Nova, 2017a.

_____. *Romanos 8-16 para você*. São Paulo: Vida Nova, 2017b.

LADD, G. E. *Teologia do Novo Testamento*. São Paulo: Hagnos, 2003.

LEWIS, C. S. *Cristianismo puro e simples*. São Paulo: Thomas Nelson Brasil, 2017.

LUTERO, Martinho. *Martinho Lutero:* uma coletânea de escritos. São Paulo: Vida Nova, 2017.

MACARTHUR, J. *Escravo:* a verdade escondida sobre nossa identidade em Cristo. São Paulo: Fiel, 2012.

MADUREIRA, Jonas. *O custo do discipulado:* a doutrina da imitação de Cristo. São Paulo: Fiel, 2019.

MARTINS, Yago. *Você não precisa de um chamado missionário*. Joinville: BTBooks, 2015.

MENDONÇA, J. T. *Pai nosso que estás na terra:* o Pai--nosso aberto a crentes e a não crentes. São Paulo: Paulinas, 2013.

PACKER, James I. *O conhecimento de Deus*. 2 ed. São Paulo: Mundo Cristão, 2005.

PATE, C. Marvin. *Romanos*. São Paulo: Vida Nova, 2017.

PHILLIPS, Keith. *A formação de um discípulo*. São Paulo: Vida, 2008.

PIPER, John. *Finalmente vivos:* o que acontece quando nascemos de novo? São Paulo: Fiel, 2011.

SMITH, J. K. *Você é aquilo que ama:* o poder espiritual do hábito. São Paulo: Vida Nova, 2017.

STOTT, John. *Contracultura cristã:* a mensagem do Sermão do Monte. São Paulo: ABU, 1981.

_____. *O discípulo radical.* Viçosa: Ultimato, 2011.

WALTKE, Bruce. *Buscar a vontade de Deus:* uma ideia cristã ou pagã? São Paulo: Vida Nova, 2015.

WERNER, Boor de. *Carta aos coríntios.* Comentário. Curitiba: Esperança, 2004.

WESLEY, J. *O sermão do monte.* São Paulo: Vida, 2012.

WILLIAMS, T. J. *Reflita:* tornando-se você mesmo ao refletir a maior Pessoa da história. Brasília: Monergismo, 2018.

WRIGHT, N. T. *Simplesmente cristão:* porque o cristianismo faz sentido. Viçosa: Ultimato, 2008.

RODRIGO BIBO, 42, é casado com Alexandra e pai da Milena e do Kalel. Em 2011, criou o site e o podcast Bibotalk para difundir a Bíblia e a teologia em uma linguagem simples e acessível. Em 2022, fundou a EBT – Escola Bibotalk de Teologia, uma escola online que capacita cristãos na rica tradição da fé cristã. É mestre em Teologia e mora em Joinville, SC. Não come salada e amou o final de *LOST*.

bibotalk 📷
bibotalk 🐦
Visite: bibotalk.com

Ouça nossos podcasts no site ou nas principais plataformas digitais

Este livro foi impresso pela Ipsis, em 2025, para a Thomas Nelson Brasil. A fonte do miolo é Noto Serif. O papel do miolo é pólen bold 90g/m², e o da capa é couchê 150g/m².